JN087796

一瞬で人を動かし、
100%好かれる
声・表情・話し方

1秒で心をつかめ。

アナウンサー
魚住りえ

すべては「1秒」で決まる

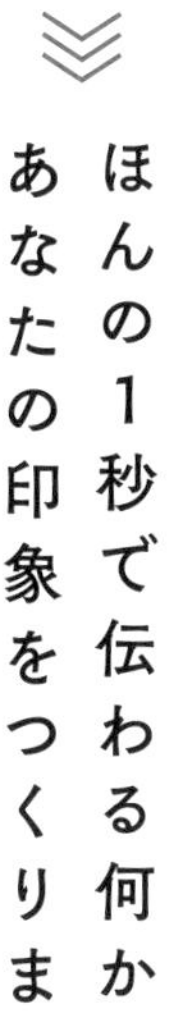

ほんの1秒で伝わる何かが、あなたの印象をつくります

『1秒で心をつかめ。』を手にとってくださって、ありがとうございます。

アナウンサーの魚住りえです。

この本では、出会い頭の1秒、会話の最中の1秒、別れ際の1秒など、**コミュニケーションのあいだに生じる「特別な1秒」に焦点を当てて、あなたのまわりにいる大切な人たちにステキな印象を残す方法**を掘り下げていきます。

改めて考えてみると、「1秒」って、ほんのわずかな時間ですよね?

実際、「あ、」と言葉に出しているあいだに過ぎていってしまいます。でも、そのほんの**わずかな時間が相手に与える印象、相手から受ける印象を大きく変えてしまう**のです。

たとえば、あなたがこんな場面に遭遇したら、相手に対してどんな印象をもつでしょうか?

- ここからが話の大事なところというタイミングで、友だちがスマホをとり出した
- 注文をとりにきた店員さんが「はいはいはいはいはい」と矢継ぎ早なあいづちを打ってきた
- 商談相手が挨拶を交わしてすぐに腕時計をチラ見した
- 初めて食事にいった気になる相手が、箸をグーでもった
- 上司に相談していたはずが、「それでね」のひと言で切り返された後、愚痴を聞くハメに

どれも些細な言動かもしれません。でも、どの場面でもいい印象はもちませんよね?

「え!? この人、ちょっと失礼かも?」と感じるのに**必要なものは、1秒にも満たな**

いあいづちや言葉、態度で十分です。しかも、**一度、定着した相手の印象は半年近く変わらない**ことが心理学の研究でわかっています。

そして、それは人に与える好印象、人から受ける好印象でも変わりません。

私たちが**初めて会った人**を**「この人、いいな」と思い、身近にいる誰かのことを「やっぱり、この人はステキだな」と感じるのに必要な時間もまたわずか**なもの。

ちょっとした立ち振る舞い、話し始めの声のトーン、あいづち、返してくれた言葉、話を聞いているときの所作など、ほんの1秒で伝わる何かがあなたの印象につながっていくのです。

「この人、感じがいいな」を生む「1秒」の秘密

この人、仕事ができるな。
この人、優しいな。
この人、一緒にいると安心するな。
この人、すごく感じがいいな。

出会った人にそんなふうに思ってもらえたら、人生は必ずよい方向に進んでいきます。なぜなら、あなたと私がここでつながったように、私たちは人とのつながりのなかで生きているからです。

魅力的な人のまわりには、魅力的な仲間が集まります。すべての人に好かれる必要はありませんが、多くの人に好印象をもってもらえると、気の合う仲間と出会う確率が上がります。

心理学者のアルフレッド・アドラーは、「私たちが感じるストレスの9割は人間関係から生じている」と指摘しました。その**悩みの大半が「1秒」の心がけで軽減されていく**のなら、それはとても素敵なことです。

「受けの1秒」「攻めの1秒」

この本では、私がアナウンサー、ボイス・スピーチトレーナーとして「声のもつ力」と「話すこと、聞くことの大切さ」を考え続けてきた経験を活かし、好印象を生む「1秒」の秘密を解き明かしています。

キーワードとなるのは、**「受けの1秒」**と**「攻めの1秒」**です。

とはいえ、いきなり「受けの1秒」と「攻めの1秒」と言われてもピンときませんよね？

そこで、日々、私たちがメディアを通して目にしている「秒」の達人たちの技を例にして、「受けの1秒」と「攻めの1秒」のイメージをお伝えしたいと思います。

「受けの1秒」があなたと相手の信頼関係をつくり出す

たとえば、テレビで見ない日はない司会者となったマツコ・デラックスさんは、見事に「受けの1秒」を使いこなしています。

これだけちょっとした発言が炎上につながる時代に、マツコさんはテレビというファンばかりではない多くの視聴者の目に触れるメディアで、必要であればゲストに対して辛辣（しんらつ）なコメントも口にします。

ところが、ほとんどの視聴者は好意的に受け止め、そのコメントをぶつけられたゲストご本人も笑顔になります。

なぜ、ポジティブな反応が広がるのでしょうか。

それは短い時間のあいだに、話し手であるゲストと聞き手であるマツコさんのあいだに信頼関係が結ばれ、その空気感がお茶の間の視聴者にも伝わっているからです。

その信頼の源となっているのが、「間(ま)」の1秒。

マツコさんはゲストのどんな話にもしっかりと耳を傾け、深く納得したときも、ツッコミを入れるときも、辛辣なコメントを返すときも、返事の前に「間」を置きます。

「ええ」も、「はい」も、「うん」もなく、静かに聞いて受け止めて、1秒の間を空けてから、「……わかる」「……私、それはね」「あー!」と話し始めるのです。

この**「受けの1秒」が、話し手にとって「しっかり話を聞いてくれた」という安心感となり、信頼感につながります。**

そして、視聴者にとってはゲストの話を自分なりに理解する時間となり、マツコさんの切り返しへの期待感を膨らませます。

まさに「秒」で人を惹きつけているのです。

知的な人・説得力のある人が実践する「受けの1秒」

もう1つ「受けの1秒」の例を挙げます。

あなたは、4歳から芸能活動を始められた俳優でタレントの芦田愛菜さんにどんなイメージをもっていますか？

私は演技力のすばらしさはもちろん、普段の話し方から親しみに加え、落ち着きと高いインテリジェンスを感じています。そのイメージをつくり出しているのが、**「言葉の言い終わりで必ず口を閉じる」**という**「受けの1秒」**です。

じつは多くの人は話しをするとき、無意識のうちに口を開き続けています。すると、句読点や文末で音が途切れず、だらだらとした口調に聞こえてしまいます。

そして、言葉と言葉をつなぐための「えー」や「あのー」が増えていくのです。「えー、私は営業を担当しておりまして」「えー、今回は」「あのー、その件は」と。次の言葉のための場つなぎとして出てきてしまう「えー」や「あのー」。本人の意識は話の続きに向いているので、無意識に言ってしまっていることがほとんどです。

ところが、聞いている側は言葉と言葉のあいだの1秒に挟まれる「えー」「あのー」によって、「この人、わかっているのかな?」「焦ってるのかな?」と心配になります。せっかくいいメッセージを発していてもネガティブな印象になってしまうのです。こうした、どうしても開いてしまう口、**こぼれ出る「えー」や「あのー」を遠ざけ、聞き手の印象を劇的に変える方法**があります。

それが芦田愛菜さんも実践している「言葉の言い終わりで必ず口を閉じる」です。「ありがとうございます」(パクッ)、「驚きました」(パクッ)、「営業を担当している○○です」(パクッ)、「今回は○○についてご提案があります」(パクッ)、「その件についてはすぐに返事します」(パクッ)と。

言い終わりに「パクッ」と口を閉じることを意識すると、相手に「きちんとした人」「知的な人」という印象を残すことができます。発語の音のキレがよくなり、緩急のリズムのある話し方になるからです。

こんなふうに、「受けの1秒」は会話の流れのなかで相手の心を動かしていくテクニック。第1章以降、声のトーン、言葉の選び方、表情のつくり方などの切り口で、さまざまなシチュエーションに合わせた「受けの1秒」を解説していきます。

一方、「攻めの1秒」はこちらから積極的に仕掛け、相手に好印象を残すテクニックです。

ムードメーカーの「声」に共通する好印象の秘密

たとえば、あなたのまわりにも「あの人が来ると、なんだか職場が明るくなるよね」「あの人、いつも元気がいいよね」と言われている人がいませんか？　また、アナウンサーやナレーターの語り口調に心地よさや爽やかさを感じた経験はないですか？

周囲にポジティブな印象を残している話し手に共通しているのは、出している「声」の質です。じつは、私たちの耳は構造上、**3000ヘルツ付近の周波数を多く含む声を敏感に捉え、もっとも聞きとりやすく感じる**ことがわかっています。

いわば、心をつかむ声。

「あの人が来ると、なんだか職場が明るくなるよね」「あの人、いつも元気がいいよね」と評価されている人、語り口に心地よさや爽やかさを感じさせるアナウンサーやナレーターは、この音域の声で挨拶をし、話しをしているのです。

では、３０００ヘルツ付近の周波数とはどのくらいの音域の声かというと、ドレミファソラシドなら「ソ」や「ラ」の高さ。つまり、あなたの**普段の「おはようございます」を「ド」として、普段よりも少し高めを意識して「おはようございます」と言うと、ちょうど聞き手に心地よい音域に**なります。

その際、**口角を上げて発声すると、３０００ヘルツ付近の周波数の声になる**こともわかっています。

もし、今、あなたが声を出しても問題ない場所にいるなら、ぜひ「ソ」と「ラ」の高さを意識して、口角を上げながら「おはようございます」と発声してみてください。それが聞き手にポジティブな印象が残る声です。

そして、音の高さを変えると、声量も変化し、いつもより大きな声になることにも気づくはず。ここに「あの人が来ると、なんだか職場が明るくなるよね」「あの人、いつも元気がいいよね」の秘密があります。

いい声を出すと、相手は「この人の話を集中して聞こう」「この人は信頼できそう」と感じてくれます。口角を上げ、いい声を出す準備を整えるのに必要な時間はわずかなもの。つまり、声の質に意識を向けることも「攻めの１秒」と言えるのです。

ちなみに、**声の質はトレーニングによって何歳からでも高めていくことができます。**

巻末には具体的なトレーニング方法を解説していますので、ぜひ試してみてください。

「攻めの1秒」で聞き手の心をグッとつかむ

声の質とは別の角度から、もう1つ「攻めの1秒」の例を紹介します。

それは1秒先に立って相手の思考や感情に寄り添っていく対話型コミュニケーション。周囲から信頼されている上司や先輩が必ず実践している話し方です。

たとえば、**プレゼンや会議で発言が一段落したとき、参加している人たちの様子を見ながら「ここまで大丈夫ですか？」「質問はありますか？」「何か疑問点はないですか？」**と投げかけます。相手の思考が止まってしまっていないか寄り添い、決して一方的に話し続ける状態をつくらない「攻めの1秒」のテクニックです。

この対話型コミュニケーションの達人が、オリエンタルラジオの中田敦彦さんです。

2019年に開設したYouTubeチャンネル「中田敦彦のYouTube大学」は登録者数400万人を突破し、圧倒的なコミュニケーション力でチャンネル登録者数を増やし続けています。

私もファンの1人で、2回に分け、5時間にわたって「エヴァンゲリオン」を語り切った解説回は神回で、すばらしいプレゼンだと感激しました。

中田さんの話し方の特徴はウソのなさです。エヴァ解説回でも、ストーリーやキャラクターの解説にとどまらず、どれだけ自分がエヴァシリーズを愛してきたか、そして、裏切られてきたかといった複雑な感情も素直に吐露され、心に響いてきました。

そして、コミュニケーションの達人だと感じるのは、視聴者と会話しているように話されている対話力です。

中田さんのチャンネルでは、歴史、文芸作品、ビジネスモデルの解説など、難解な題材も積極的にとり上げられています。でも、どんなに難解な解説回でも絶対に聞き手を置いてきぼりにしません。

「～だと思いませんか？」

「～ということなんですが、難しいですよね～？」

「いやいや中田、いったいお前は何を言っているんだと、きっとあなたはそう思われるでしょう」

みなさんではなく、「あなた」と呼びかけるのも特徴です。テレビではたくさんの視聴者に対して呼びかける語り口になりますが、ＹｏｕＴｕｂｅでは今、見てくれているたった1人のあなたのためにというニュアンスが大切。それが話し手と聞き手の結びつきに特別感を与えてくれるのです。

このあたりにもテレビの世界とはすっぱり距離を置いた潔さを感じますし、本気で語り、伝えようとしている迫力を感じます。

第1章以降、声の質、言葉の選び方、質問の仕方、話の聞き方などの切り口で、さまざまなシチュエーションに合わせた「攻めの1秒」を解説していきます。

初めての1秒、再会の1秒、日常の1秒…で人とのつながりが変わります

私たちは、人と深くつながり合えたとき、つながり合っている姿を目にしたとき、心、動かされます。

- プロジェクトがうまくいき、仲間と目が合い、気もちが高揚する瞬間
- 告白の後、親しい人から恋人になったことに心躍る瞬間
- 何も言わず話を聞いて、うなずいてくれる友人に惚れ直す瞬間
- 応援しているチームが息の合ったプレーで勝利を収め、感動した瞬間
- 推しているアイドルのライブを見ながらステージとのつながりを感じた瞬間

ああ。いいな。この感じ。
一緒にいてそう思える人が側にいる。
隣にいて仕事ができる。
暮らしていける。
何気ない話しができる。
議論できる。
笑い合える。
眼と眼を合わせてうなずき合える。

そんな誰かとの深いつながりも、さかのぼっていけば始まりは「1秒」です。「この人、なんか感じがいいな」と。人と人とのつながりの結び目が強くなるか、解けてしまうかは1秒の印象で大きく変わります。

ほんの一瞬で受けた印象から、あなたとその人との関係は変わっていったはずです。その他大勢の1人だった相手がもっと話してみたい存在になります。その変化は、過ごした時間の長さとは関係なくやってくることも。

初対面の1秒、再会後の1秒、日常での1秒。

あなたもこれまでの人生のなかで、「あ、この人だ」と思える強い結びつきを感じた瞬間があったはずです。

この本で、新たな始まりの1秒を描き出していきましょう。

Contents

Prologue

すべては「1秒」で決まる

第1章

スピーチ・プレゼンの1秒

惹きつける・飽きさせない

第2章 ビジネス・交渉の1秒 信頼させる

第3章

出会いの1秒　好感を抱かせる

第4章

1秒で心をつかむ声の法則 110

雑談の1秒 感じのよさを与える

第5章 関係を深める1秒 特別な人と思わせる

第6章 恋愛の1秒 気になる存在にさせる

第7章 オンラインの1秒 きちんと伝わる・場が盛り上がる

第1章

スピーチ・プレゼンの1秒

惹きつける・飽きさせない

まず「1秒の間」で惹きつける

初めから人前で話すのが得意な人はほとんどいません

先輩、同僚、後輩、たくさんのアナウンサーと話すなかで気づいたことですが、「初めから人前に出て話すのが得意でした！」という人はあまりいません。

また、取材者として「あの人はプレゼンがうまいな」「人を惹きつけるスピーチをする人だな」と思える方々にもインタビューしてきましたが、やっぱり「人前に出ると緊張します」と言います。

もちろん、私も人前で話すときはいつもドキドキしています。ただ、場数を踏み、失敗もしながら、うまい人たちが実践しているテクニックを真似しつつ、自分なりの

コツを身につけ、それなりに話せるようになりました。

ですから、あなたが「スピーチなんてできればしたくない」「プレゼンがあると思うと、当日までずっと気が重い」と1対多の話し方に苦手意識をもっていても大丈夫。苦手な人はとても多いのです。

どんなにうまく見える人も、内心、緊張しながら場数を踏んでなんとか乗り切っているのですから。

これからスピーチ、プレゼンで役立つ1秒テクニックを解説していきます。

大切なのは、テクニックを知って「なるほど」と思えたら、それを実践の場で試すこと。うまくいったらいい経験、失敗してもいい経験。

ロールプレイングゲームで経験値を積むとレベルが上がるように、あなたのスピーチ、プレゼンも場数によって磨かれていきます。

「1秒の間」をもってから話し始める

スピーチ、プレゼンが上手な人が必ず行っている1秒テクニックがあります。

それが「1秒の間」です。

彼らは、**オーケストラの指揮者が演奏前に指揮棒を掲げてしばし動きを止めるように、1対多の状況で話し始める前、沈黙の間をつくります。**

たとえば、こんなイメージです。

スピーチのため、壇上やマイクの前に立つ、プレゼンの場でスクリーンを背に会議室に集まったメンバーを見回す。

でも、口は開きません。黙って1秒ほど、会場、会議室全体を大きく見ます。すると、その場にいる人たちは「スピーチが始まるか？」「このプレゼンターは何を話すのかな？」と話し手に注意を向けるのです。

「1秒の間」によって聞き手の意識を引きつけ、それから語り始める。たったそれだけで語りのうまさを演出することができます。

また、この**「1秒の間」はスピーチやプレゼンの途中、重要なことを言う前、もしくは言った後に挟み込んでも効果的**です。聞き手は、沈黙のあいだに発言について考え、次の言葉への集中力と期待を高めてくれます。

スティーブ・ジョブズやオバマ元アメリカ合衆国大統領など1対多の話し方の達人たちは、必ず「1秒の間」を実践。聴衆を引きつけてから話を展開していきます。

こうすると、話し手と聞き手の呼吸のリズムが整い、一体感をもって話し始めることができます。

あなたも必要なタイミングで口を閉じ、背筋を伸ばして、沈黙とともにゆっくりと聞き手の顔を眺めてみましょう。

場の雰囲気が変わるのを実感するはずです。

まとめ

- **「最初の1秒の間」で聞き手の注意をこちらに向けさせる。**
- **「ここぞの1秒の間」で聞き手の注意をこちらに向けさせる。**

02

「少し高めの声」で入って緊張感を高める

攻め

人前で話すときの第一声は高めの声で入って注目させる

スピーチ、プレゼンの冒頭、「1秒の間」で聞き手の意識をあなたに向かわせた後、間髪（かんぱつ）を容れずに次の1秒テクニックを駆使しましょう。

それは高めの声で第一声を発すること。詳しくは110ページで解説しますが、場面に応じて声の高低、トーンを変えると、相手に与えるあなたの印象を変化させることができます。

スピーチ、プレゼンの始まりには、元気で明るい印象を演出する「高い声×速い」語り口が有効です。

「こんにちは！　本日、○○をテーマにお話しする、△△です」
「まずは3分、お時間をください。御社の課題を解決するプランを考えてきました」

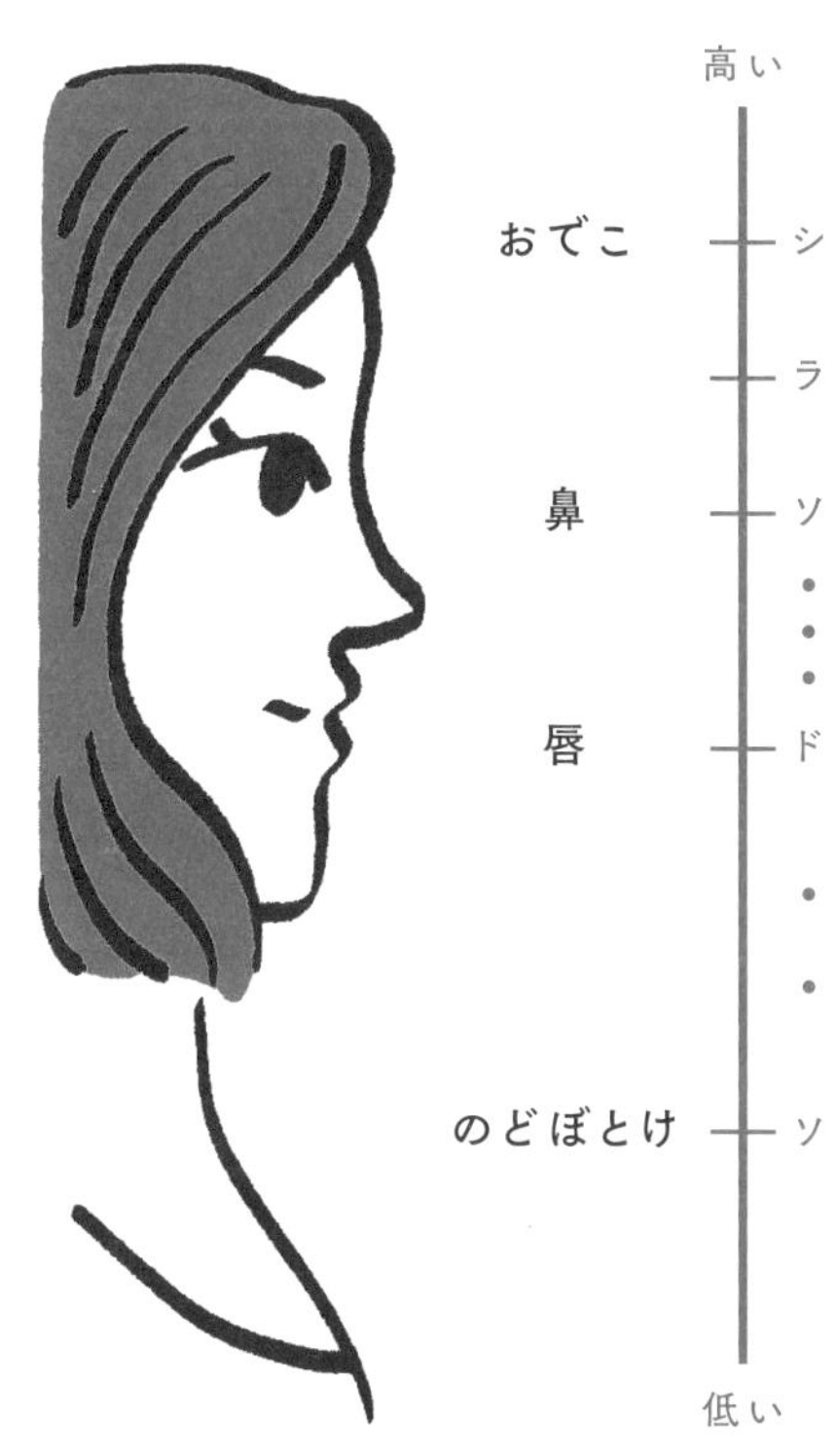

この例文で言えば、第一声の「こんにちは！」「まずは3分」を意識的に高い声で、ハキハキと語り出しましょう。**イメージとしては鼻に口があるイメージで、普段の自分のキーでドレミファソラシドと声に出したときの「ソからラの音」を出します。**

すると、自然と声量も大きくなり、明るく元気な印象に。

会場がざわざわしていても、聞き手が声に反応して話し手に注意を向け、いい緊張感をもってスピーチやプレゼンの続きに耳を傾ける態勢となってくれます。

声の高低とスピードでメリハリをつける

一方、これは男性に多く見られるパターンですが、地声が低く、人前に出て話すときも同じトーンになってしまっていることがあります。低く、ゆったりとした語り口は、1対1の対話で聞き手の心を落ち着かせるのに効果的です。

しかし、スピーチ、プレゼンの入り口としてはオススメできません。聞き手が「何を言っているのかな？」「よく聞こえない」と思った途端、話し手への集中力は下がってしまうからです。

スピーチ、プレゼンでは聞き手に注目させる必要があります。ですから、入り口は高めの声で第一声を。「高い声×速い」を意識して、あなたの語りに耳を傾ける流れをつくりましょう。

ただ、そのままのハイテンションでスピーチ、プレゼンが続くと、聞き手は疲れてしまいます。そんなときは、**「高い声×速い」で注目させた後、今度は安心感、ゆったり感を演出する低い声、落ち着いたトーンに切り替える**わけです。

このように声の高さ、語るスピードにはそれぞれ異なった効果、効能があります。

しばらく「低い声×ゆっくり」の語りを続け、**場がまったりしてきたなと感じたら、話題の転換点とともにまた「高い声×速い」にギアチェンジ**。すると、聞き手はハッとして集中をとり戻してくれます。

このように声の高低とスピードでメリハリをつける意識をもつと、スピーチ、プレゼンの内容は同じでも「うまい人」「聞き手を飽きさせない人」という評価を得ることができるはずです。

まとめ

- 第一声は「高い声×速い」。声の高さは（ソからラの音）で入り、緊張感を高める。
- 低く落ち着いたトーンに切り替えて安心感を与え、説明する。
- まったりしてきたら「高い声×速い」で聞き手の集中をとり戻す。

03

文末で口を閉じれば「えー、あー」がなくなる

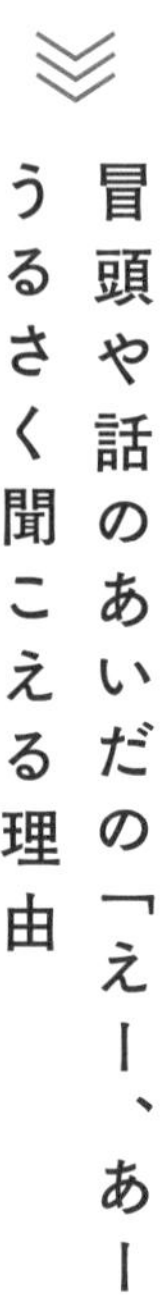

冒頭や話のあいだの「えー、あー」がうるさく聞こえる理由

スピーチ、プレゼンの冒頭、あるいは話題の転換点で無意識のうちに、「えー」「あー」「あのー」「えっと」がこぼれてしまうことはありませんか？

本人にとっては口ぐせのようになって、あまり気にしていないケースがほとんどです。でも、「えー」「あー」「あのー」「えっと」は知らず知らずのうちに、話し手の印象を頼りないものにしてしまいます。

たとえば、あなたが聞き手だとして、「えー、あー、そうですね。本日は〜」や「えっと、あの、今日お話しするのは〜」とスピーチやプレゼンが始まったとしたら、

どう感じますか？

歯切れの悪さや幼い印象を受けるのではないでしょうか。

あるいは、話の転換点で「えー、えー、えー」や「えっと、あー」が続くと、「あれ？　準備していなかったのかな？」「今、続きを考えている？」と聞き手もソワソワと不安になります。

また、音という切り口でも「えー」「あー」は「あいうえお」の母音です。今、このページを読みながら、「あ」と「え」を出すときの口の形をつくってみてください。唇が開き、口が大きく開いていませんか？

つまり、**「えー」「あー」は自然と声量が大きくなり、聞き手の耳に強く残る音になるのです。**

話し手は無意識で場をつなぐように使っているだけなのに、聞き手には耳障りなフレーズとして意識されてしまう「えー」「あー」「あのー」「えっと」。

せっかく内容のいいスピーチ、プレゼンだったとしても、冒頭や話の合間の「えー」「あー」が邪魔をして、「歯切れが悪かったな」という印象になると損をします。できるだけ使わない努力をしていきましょう。

「えー、あー」が激減する2つの1秒テクニック

ちなみに、スピーチ、プレゼンから「えー」「あー」「あのー」「えっと」を消すだけで話が整理され、語り口に理知的で落ち着いた印象が増します。すると、聞き手はスムーズに内容を受けとれるようになるのです。

では、どうすれば「えー」「あー」「あのー」「えっと」を減らすことができるのでしょうか。

ポイントは2つあります。

1つ目は、**「代わりの言葉を用意する」**です。

話の冒頭でならば、**「私は」「みなさんは」「〇〇さんは」と主語から話し始める**ようにしましょう。そして、**話題の転換点では「さて」「まあ」「ですが」に置き換えて**いきます。

いきなり「えー」「あー」「あのー」「えっと」をゼロにするのは難しいですが、代わりの言葉を使うよう意識することで次の言葉を探すための場つなぎ、時間稼ぎの

「えー」「あー」は確実に減っていきます。

２つ目は、**「文末で口を閉じる」**です。

１つの話題が終わり、**「。」が来たらパクッと口を閉じましょう。**これを習慣化すると、沈黙を嫌っての「えー」「あー」「あのー」「えっと」が激減。話し方のリズムもよくなり、効果的な「間」が生まれ、プレゼンやスピーチにメリハリがつき、伝えたいメッセージがはっきりします。

まとめ

- **「えー」「あー」「えっと」「あのー」が口ぐせの人は、冒頭で必ず「私は」「みなさんは」「○○さんは」と主語から話し始める。**
- **話題の転換点では「さて」「まあ」「ですが」でつなぐ。**
- **一文ごとに口をパクッと閉じる。**

04

第一声は遠くを見て発し、中盤で反応のいい人とアイコンタクト

よく聞こえる・思いが伝わる4つの1秒テクニック

1対1で会話をしている場面を思い浮かべてください。

あなたは「この話はわかってほしい」「納得してほしい」と思っているとき、話しながら目の前の相手の目を見ているはずです。そして、自然と声は低く、ゆったりとした口調になります。

これは自分が聞き手となったとき、目を合わせて、低い声でゆっくりと語られると説得力が増すことを実感しているからです。

では、1対多の対話となるスピーチやプレゼンでは、どうしたら聞き手に思いが伝

わる語り方になるのでしょう？

ここでも目線と声が重要な要素となります。

❶ 第一声は遠くを見て話すと気もちが広くなる

スピーチなら、話している場所から会場の出入り口など遠くに目線を向けます。プレゼンでも同じです。会議室の一番奥の壁に目をやりましょう。

すると、1秒で目線が手元の原稿やモニタから離れ、顔が上がり、視野が広がって気もちが落ち着きます。また、聞き手からあなたの表情がよく見えるようになり、信頼感が増すだけでなく、声が出しやすくなるという効果もあります。

❷ 反応のいい人とアイコンタクトする

スピーチでも、プレゼンでも聞き手の全員があなたの話に感心し、好意的になることはまずありません。そこで、**話しているあいだに「うんうん」とうなずいたり、にこやかな表情を浮かべたり、よくこちらの目を見たりしてくれる反応のいい人を探しておきましょう。**

そして、**話の要所、要所ではそうした反応のいい人を見て、語りかける**ように話します。ターゲットを絞り込むことで緊張が解け、感情を乗せたわかりやすい話し方ができるようなります。

❸ 腹式呼吸で声を出す

多くの人の心にあなたの言葉を届けるには、まず肺にたっぷりと空気を入れて、いい声を出すことです。そのためには、やっぱり腹式呼吸。スピーチ、プレゼンの前には腹筋の上に手を置いて、お腹を凹まして声を出し、腹式呼吸を意識しましょう。

（詳しい腹式呼吸のトレーニングは巻末付録の2ページ目をご覧ください）

❹ ボールを投げる放物線のイメージで声を出す

ボイストレーナーとして受講生から「スピーチやプレゼンのとき、いつもより大きな声を出したほうがいいとわかっていても、適切な声量がよくわからない」という質問を受けることがあります。

そのとき、お伝えしているのが、**ボール投げのイメージ**です。短い距離でのキャッチボールではなく、**遠くにいる相手に山なりにボールを投げるイメージ**をもちましょう（詳しいトレーニングは巻末付録の11ページ目をご覧ください）。

あなたの口から発した声が、放物線を描きながら会場や会議室の一番奥へ届く。言葉のボールが空間に拡散して、1人ひとりの手元に収まっていく。

そんなイメージで発声すると、よく聞こえる、伝わる声量になります。

まとめ

- ふだんから腹式呼吸に慣れておく。
- 会場の一番奥を確認し、第一声はそこを見て発する。
- スピーチ中はボール投げのイメージで聞き手に声を届ける。
- 反応のいい人を見つけて、その人と要所要所でアイコンタクトをとる。

「緊張している→集中している」に変換する

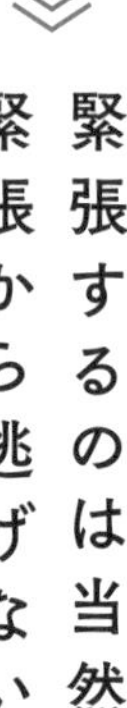

緊張するのは当然。緊張から逃げないほうがうまくいく

人前に出てスピーチやプレゼンをする日は、誰でも緊張するものです。たくさんの人に注目されるのは非日常ですし、そこでうまく話せるかどうかドキドキするのは当たり前です。

1995年に日本テレビに入社し、アナウンサーになってからもう25年以上、人前で話すことを職業にしてきた私ですが、今も講演、収録、司会、セミナーなどの本番前は緊張します。

ただ、その緊張は「ポジティブな緊張感」です。

新人時代、私はアナウンサーの先輩から「本番前に気をゆるめてはいけないよ。油断して緊張を解くと失敗するから」とアドバイスされました。

当時はピンときていませんでしたが、その後のある番組で、アナウンス室で**本番前に楽しく話し、リラックスして現場に臨んだところ、大失敗。**絶対に話さなければいけない文章を忘れてしまい、カメラが回っているあいだにあってはいけない沈黙が生まれてしまったのです。

その収録自体は共演者の方々の助けがあってなんとかしのぐことができました。でも、進行役のアナウンサーが油断して黙ってしまうのはありえないミスです。

以来、私はどんな現場でも本番前に1人きりになって、自分と向かい合う時間をもつようになりました。**うまくいくイメージはもちながら、でも、「本番だ！」という緊張感は高めていきます。**

すると、集中して本番を迎えることができるのです。これがポジティブな緊張感の効能ですが、逆に「ネガティブな緊張感」もあります。

自分と向き合いながら、うまくいかない要素を探して「失敗するかも」「自信がない」と不安を高めてしまう状態です。

本番の日にあがらないための、朝の１秒ルーティン

こうしたネガティブな緊張感に負けないようにするには、ポジティブな緊張感でうまくいったときのポイントを集め、自分なりのいつものルーティンをつくることが役立ちます。

私の場合、締めつけすぎない服、歩きやすい靴が欠かせません。

ヒールの高い靴を履くと体がグラグラして気もちも不安定になるので、高さは５センチと決めています。

また、洋服もウエストが締まっていると腹式呼吸でいい声が出しにくくなります。

そこで、講演やスピーチ、司会を行う日はAラインのワンピースを愛用。ストレスなく、ポジティブな緊張感をもって話せる状態を大事にしています。

そして、**家を出る前に鏡の前で条件を満たしているか確認。「これなら、大丈夫」と思えるだけで、足どり軽く現場に向かうことができます。**

さらに、現場に入ってからはスピーチする場所と環境を事前に自分の目でチェックするのも大切なルーティンです。

会場の広さ、演台からの視界、マイクがコードレスかスタンドタイプか、使いやすいかどうか、用意したメモや原稿、水の置き場所、時計の位置……。自分が心地よく話せる環境を整えることで余計な不安がなくなり、ポジティブな緊張感をもって現場に立つことができるのです。

まとめ

- 本番の日の朝は、服、靴が心地よく話せる条件を満たしているか1秒指差し確認を。
- 本番前はうまくいくイメージをもちながら緊張感を高め、集中して本番に挑む。

06 「1秒グ〜パンチ」で集中力をとり戻す

集中力が下がってきたら、一瞬の痛みで集中をとり戻す

私が人前に出て話すとき、一番緊張するのが結婚式の司会です。新郎新婦の人生のハイライトの1つとなる大切な場。しくじるわけにはいきません。当然、ポジティブな緊張感をもてるよう前項で紹介したルーティンは実践します。それでも集中力が途切れそうになる瞬間はやってきます。

そんなとき行う**攻めの1秒テクニック**が、**「痛みで集中をとり戻す」**です。

具体的には、手の甲のツボを押しています。

親指と人差し指のつけ根の間にある「合谷（ごうこく）」をペンや逆の手の親指でグリグリ。これならスピーチやプレゼンの合間にも実践可能です。**心地よい痛みを感じることで不安から逃れることができ、集中力が高まります。**また、自律神経が整い、イライラが減る効果も。

もう少し大胆な刺激もあります。**大事な場面に向けて集中をとり戻すため、太ももをグーでポンポン**と叩きます。

これはプロテニスプレーヤーの大坂なおみさんも試合中に実践されていた方法で、**下半身の大きな筋肉に刺激を与え、集中力を高めるルーティン。**

私も舞台袖で太ももをポンポン、ときにはギュッとつねって、「集中、集中」とつぶやいています。**プレッシャーやストレスで頭のなかがごちゃごちゃしたとき、体に意識を向けることで落ち着きをとり戻すことができるのです。**

軽い痛みがスイッチとなって、気もちの切り替えに役立ちます。

本番直前のひと口おやつでドーパミンを分泌。集中力をとり戻す

また、スピーチやプレゼンの直前に甘い飴をなめるのも集中力をとり戻す効果があります。**味覚への甘い刺激によって、脳内でβエンドルフィンやドーパミンが分泌されるから**です。

βエンドルフィンの主な働きは、気分の高揚や鎮痛、ストレス緩和など。いわゆる「ランナーズハイ」（限界を超えたランナーが覚える快感）も、βエンドルフィンによる現象だとされています。

一方のドーパミンは、報酬を得たとき、得られそうなときなどに分泌され、喜びをもたらします。仕事や勉強をやり遂げたときの達成感や楽しい予定について考えるときの**ワクワク感もドーパミンによるもので、やる気や集中力、学習能力などにも深く**

関係しています。

そして、甘いものを食べたことで得られる糖質からはブドウ糖がつくられ、脳のエネルギー源にもなります。味覚に意識を向けることで、落ち着く効果もあります。

飴やガム、ドライフルーツなど、個包装でもち運びやすい甘いものをポケットやカバンに忍ばせておくと、集中力をとり戻したいとき、落ち着きたいときに役立ちます。

まとめ

- **本番直前の甘い刺激で、落ち着きをとり戻し、やる気と集中力を高める。**
- **本番中はツボ押し、休憩中は太ももグ～ポンなどの刺激で集中力をとり戻す。**

冒頭の「つかみ」だけ原稿を用意する

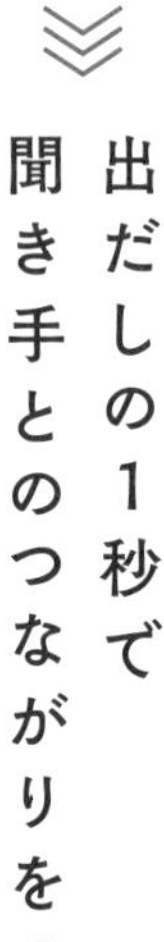

出だしの1秒で聞き手とのつながりをつくる

スピーチに原稿が必要か？　プレゼンに資料は必要か？

なかには感じたままを話すだけで、聞き手を引き込むエモーショナルな語り手もいることでしょう。でも、私は原稿も、資料も必要派です。

もちろん、現場でずっと原稿や資料に目を落とし、うつむきながらスピーチやプレゼンを行うのは避けましょう。書いた原稿を丸暗記する必要はありませんが、一部は頭に入れてから本番を迎えるのをオススメします。

とくに大事なのは、つかみとなる冒頭部分です。私は**つかみで何を話すか、必ず手**

書きで原稿にまとめ、事前に読み上げて頭に入れるようにしています。

たとえば、スピーチを行うのが福岡県の久留米市だったら、「久留米といえば、私のなかのイメージではチェッカーズです」「松田聖子さんの出身地ですね」など、聞き手の方々との共通点になる話題をピックアップしていきます。

話し手とのあいだに共通点があるとわかると、親近感が生まれるからです。

つかみで聞き手と話し手のあいだにつながりができれば、その後の展開がスムーズになります。その**重要な出だし部分で言いよどんでしまうと、焦ってしまい、平常心が保てなくなる**ことも経験上わかっています。だからこそ、原稿にまとめて、声に出して読み、ポイントを覚えてから人の前に立つようにしているのです。

頭が真っ白になったときの窮地を脱するひと言

それでも本番中にしくじってしまうことはあります。

スピーチやプレゼンの途中で、「あれ？　この次、何を話すんだっけ？」と内容が飛んでしまって頭が真っ白に……という経験もしています。

そんなとき、どうやって切り抜ければいいのでしょうか。

私は1秒で切り替えて、「気もちが盛り上がりすぎて、スピーチが飛んでしまいました」と素直に白状するようにしています。

「あがってしまって、次にとり上げる話を忘れてしまいました」

「みなさんが集中してこちらを見てくださっているので、ドキドキして何を言おうとしていたのか、飛んでしまいました」

話し手の告白で場がなごんだら、その反応でこちらの気もちもほぐれます。ハプニングに驚き、楽しむくらいの気もちでいられれば、頭が真っ白になったという出来事が聞き手と話し手の心の距離を縮めるきっかけになるはずです。

まとめ

- **冒頭の「つかみ」の原稿は用意しておく。**
- **頭が真っ白になってしまったら、素直にスピーチが飛んだことを白状し、聞き手との心の距離を縮める。**

第2章

ビジネス・交渉の1秒

信頼させる

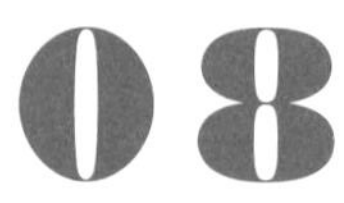

商談の始まりは「いまここ」の1秒に集中する

≫「うまく話す」より「うまく聞く」

あなたの職場にもこんな人がいませんか？

「先輩の○○さん、なんか話しやすいんだよな」
「後輩の○○、他の部署の課長からも、取引先の部長からも気に入られていて、すごいな」
「同期の○○と飲みにいくと、私ばっかり話している気がするけど、元気出るんだよね」

私たちは自分の話を誰かに聞いてもらいたい生きものです。

実際、心理学の研究によると、「相手が十分に話を聞いてくれた」「今日は話したいことが話せた」と思えたとき、脳は金銭的な報酬を受けとった以上の幸福を感じるそうです。

私は**「聞くことは、おもてなし」**だと考えています。

しかし、営業、商談、面接といった場面を思い浮かべると、ついつい私たちは話し方の巧みさが好印象、好結果につながるとイメージしがちです。

そして、「どうすれば自分の考えをわかりやすく、的確に伝えることができるのか」に悩み、ビジネスシーンでの会話に苦手意識をもってしまっている人も多いかもしれません。

でも、実際に取材などを通じてお会いした一流のビジネスパーソンの方々を見ていると、**「結局、成功しているのは、話す力より聞く力がある人」**だなと感じます。

「いまここ」の1秒に集中するだけで、いいコミュニケーションが始まる

職場で話しやすいという印象をもたれている先輩も、社内外で気に入られている後輩も、仕事仲間としても飲みにいく友だちとしても最高な同僚も、きっと相手の話をしっかり受け止め、よい質問を投げかけてくれるのではないでしょうか。

ビジネスシーンでのコミュニケーションでもっとも重要なポイントは、会話の始まりの「いまここ」の1秒に集中することです。

- 目の前にいるお客さんは、何を求めて、ここに来たのか
- 商談相手は、何がしたくて、何をしたくなくて、ここにいるのか
- ミスをした後輩は、どういう気もちで報告にやってきたのか
- 不機嫌そうな顔をしている上司にどう接すれば、こちらの提案に乗ってくれるのか

会話が始まる前に、ほんの1秒でいいですから、相手の立場から「いまここ」を眺

めてみましょう。たったそれだけであなたのコミュニケーションの仕方にポジティブな変化が生じ始めます。

「私が」「こちらが」「当社が」と、あなたがしたいことを優先した会話の始め方が減り、

「どうされましたか？」

「お困りのことはありますか？」

「落ち込んでない？　大丈夫？」

「今、１分だけお時間いいですか？」

と、**相手を気遣う言葉が出るようになる**のです。

まとめ

- **自分が話すよりも、相手の話をよく聞く意識をもつ。**
- **自分が話したいこと（頭のなか）に集中するのではなく、「いまここ」に集中する。**

一瞬で心をつかむ「お会いできてうれしいです」

会話のスタート地点では、「聞く＋質問」を忘れない

私は昔から人見知りでしたし、人前で話すのも得意ではありませんでした。それがどうしてアナウンサーを目指したの？　と聞かれると、本の朗読が好きだったからと答えています。

実際に仕事を始めるまで、アナウンサーの役割は原稿を読んだり、実況をしたりなど、一方的にしゃべることだと思っていました。

ところが、日本テレビ入社後、インタビューや司会者のアシスタントといった仕事をするようになります。

そこで、ぶつかったのは上手にコミュニケーションをとれないと、取材相手や共演者のみなさんとよい関係が築けないという壁でした。それから数々の失敗を経て、**よい関係を築くには、話し方よりも聞き方にポイントがある**と気づきました。

私たちは誰もが、「自分を認めてほしい」という承認欲求をもっています。ですから、「気もちよく過ごしてほしい」「いい仕事ができたと感じてほしい」と思う相手とよい関係を築くには、その人の承認欲求を満たすことが早道です。

では、どうすれば相手に「認められた」「認めてくれた」と思ってもらえるのでしょうか。

大原則は1つだけ。相手の話をきちんと聞いて、共感することです。

「あなたとお話ししたいです」という気もちが伝わるひと言

- 相手の話を聞き、受け止め、素直に疑問に思ったことを質問する
- 相手の話に「それは違う」と思ってもすぐにさえぎったり否定したりせず、まずは最後まで聞いて受け止め、感じたことを質問の形で投げ返す

この流れを忘れずにいれば、ビジネスシーンで出会うどんな人とも上手にコミュニケーションがとれるはずです。

とはいえ、こちらが「聞く」という気もちをもっていれば、いつでも相手がスムーズに話し始めてくれるわけではありません。寡黙な人、口下手だと悩んでいる人、たまたま機嫌が悪い人など、状況はさまざまですから。

とくにビジネスシーンでは業務上、必要なやりとりに関しては必要最低限のコミュニケーションで済んでしまうという面もあります。

それでももう一歩踏み込み、つながりをつくりたい。好印象を残したいと願うなら、最初の相手の心をノックするひと言が欠かせません。

「今日はお会いできてうれしいです」
「ご一緒にお仕事できる機会を楽しみにしていました」

私はそんな言葉とともに、「あなたとお話ししたいです」という気もちを伝えるよう心がけています。

すると、会ったばかりのときに漂う緊張感がほぐれ、その後のコミュニケーションが、仕事に必要なやりとりよりももう少しだけ深く、豊かなものになり、お互いの好印象につながっていくのです。

まとめ

- **相手の話を聞いて共感し、相手の承認欲求を満たす。**
- **相手と話しができてうれしいことを言葉で伝える。**

「（話を）聞いて、（質問を）訊く」1秒サンドイッチが効く

≫「感謝」＋「褒める」でポジティブなイメージを与える

あなたもこれまで仕事をしてきたなかで、提案や相談をしやすい上司と、しにくい上司がいませんでしたか？

私の友人はある時期、相談しにくい上司について悩んでいました。

その上司は仕事のことか、プライベートのことか、理由はよくわからないものの不機嫌オーラを出している日がよくあるのだそうです。

眉間にシワを寄せ、ときどき大きく「ふー」と息を吐き、手にしていた資料をドンと音を立ててデスクに置く。ひと目見て「あ、今日は不機嫌だ」とわかる日がありま す。

でも、仕事の進捗状況の報告、そのほか、さまざまな相談は上司の機嫌とは関係なく、必要な場面でしなくてはいけません。

にもかかわらず、不機嫌な日の上司は、「この企画書だと、読む気にならないな」「早めに動くように言ったよね？」など、話を聞かずネガティブな言葉で返してくるのだそうです。当然、友人も含め、部下たちは上司の顔色をうかがい、できるだけ接する機会を減らそうとします。

考えてみるとこの状態、上司にとっていいことは1つもありません。上司に限らず、不機嫌な感情のままに相手に接することはマイナスでしかないのです。

- コミュニケーションを避けられてしまう
- 孤立して仕事がうまくいかなくなっていく
- 公式（人事評価）、非公式（周囲の評判）に評価が下がるでは、どういうリアクションをするべきなのでしょうか。

話をきちんと聞いた後、1秒でできる改善策は「ありがとう」プラス「すごいね」「おもしろそうだね」「目のつけどころがいいね」「これは気づかなかった」など、**「感謝＋褒める」**ことです。

これができれば仮に不機嫌オーラが漏れ出てしまっていたとしても、褒められた側は「今日は何か嫌なことがあったのかな。不機嫌は私と関係ないんだ」と理解し、安心してくれます。

おもてなしのサンドイッチで相手は充実感を得る

提案や相談をしやすい上司は必ず「感謝」＋「褒める」を実践しています。

提案に「ありがとう」と感謝して、「おもしろそうだね」と受け止め、全部聞き終わった後に気になる点について質問。

「ありがとう。おもしろそうだね。○○が気になるけど、××さんはどう考えている？　見通しを聞かせて」

「ありがとう。この企画、おもしろそうだね。いいアイデアだから実現させたい。次回までに関連データをまとめてくれるかな？　楽しみにしているね」

質問して、相手に答えを考えてもらうまでがセットになって、コミュニケーションが密に。上司と話した側は宿題が残っても、充実感を得られます。

なぜなら、（提案などを）「聞くこと」と（質問で）「訊くこと」でコミュニケーションが「おもてなしのサンドイッチ」になっているからです。

まとめ

- **相手の提案には、「感謝＋褒める」を習慣にして、相手にポジティブな印象を与える。**
- **提案や相談は、話を聞いて、質問をする「おもてなしのサンドイッチ」で相手に充実感を与える。**

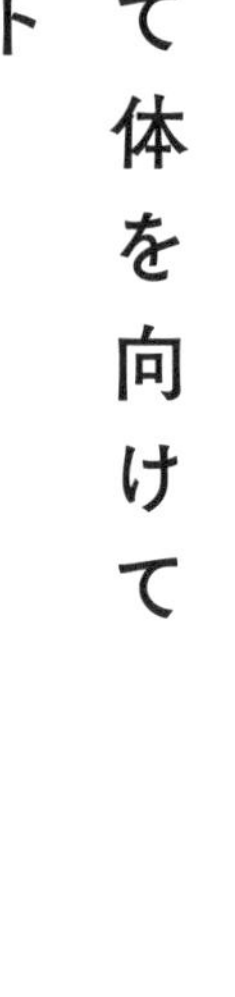

ここぞのポイントで体を向けて1秒アイコンタクト

自分が自分が…の一方通行のコミュニケーションを回避するには？

ビジネスシーンと言えば、営業をする、される場面も日常的です。

でも、「営業」そのものに少しネガティブな印象をもっている人は多いですよね。営業をされる身近なシーンで言うと、ファッションショップなどでの販売員さんからの接客、声掛け、保険やクルマの営業のグイグイ感が苦手という声をよく聞きます。

こうした悪印象の原因となっているのが、「売りたい」「買ってもらいたい」欲求からくる一方通行のコミュニケーションです。

「本当にいい商品なんです」
「今を逃すと、この価格では買えません」
「来週、正式な契約書をもってきますので、それまでこちらを使ってください」

こんなフレーズを「高い声×速い」トーン（110ページをご参照ください）の組み合わせでぶつけられたら、お客さん側は追い込まれた気もちになります。結果、営業する側が求める成果は得られないわけです。

童話の「北風と太陽」のお話をご存じでしょうか？　北風と太陽が、どちらが旅人の上着を脱がせられるかという対決をしたのですが、北風が力いっぱい吹いてもかえって旅人は上着をしっかりと押さえてしまったのに対し、太陽はさんさんと照りつけることで、旅人に自ら上着を脱がせ、太陽が勝ちとなった、というお話です。

つまり、**営業する側がこの「北風と太陽」の太陽的なコミュニケーション術をとり入れるとうまくいきます。**

安心できる雰囲気に潜んでいた攻めのテクニック

以前、業界でも有名なトップセールスマンにお会いしました。アポイントの場に現れたのは、30代の若い男性で「これはグイグイと契約を迫られるのかな？」と身がまえたのですが、いざ話し始めると気さくで穏やか。しかも、いわゆるセールストークをしてきません。

最終的に、私は契約をしたのですが、その理由は相手を信頼できる人だと思ったから。でも、契約を即断できた自分が不思議で、家に帰ってから**「なぜ、1回会っただけで信頼できると思えたのか」を分析**しました。

- 親身になってたくさん話を聞いてくれた
- こちらの話を否定せず、受け止め、勘違いや思い違いがある点は的確にアドバイスしてくれた
- そのうえで、あなたの人生に必要なサービスを提供したいと真摯に提案してくれた

●「低い声×ゆっくり」とした トーンで落ち着いた語り口

まさに太陽のような接し方で、私がすすんで話せる雰囲気をつくっていました。ただ、さすがにトップセールスマンだなと思ったのは、そこに次のような攻めの1秒テクニックも組み込まれていたことです。

●聞いてほしいポイントでは、しっかりと体を向ける
●強調したい部分を話すときだけ長めのアイコンタクトをする

安心できる穏やかさと「ここぞ！」というポイントでの押し出し。この緩急が信頼できる印象をつくっていたのです。

まとめ

●セールストークこそ、自分が話すのではなく、相手の話をしっかり聞く。
●聞いてほしいポイントでは相手にしっかり体を向けて目を見て話し、信頼できる印象をつくる。

12 相手がしゃべりきって満足したところで切り出す

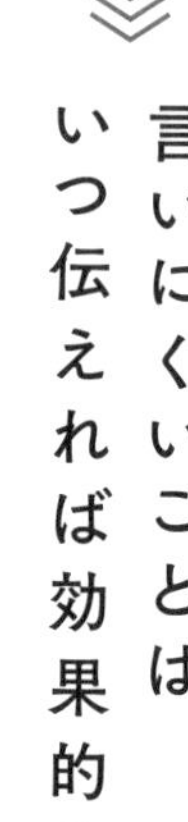

言いにくいことはいつ伝えれば効果的？

・言いにくいことを伝えなければいけない
・1つだけ絶対に譲れない状況があり、納得してもらいたい
・厳しいスケジュールを受け入れてもらいたい

仕事をしていると、どうしてもこちらの要求を伝え、納得してもらわなければならない場面が出てきます。一個人としては「申し訳ないな……」と思いつつも、業務上の立場としては**「言いにくいお願いごと」を伝え、うまく商談や交渉をまとめなけれ**

ばいけないいとしましょう。

そんなとき、重要になってくるのは、どのタイミングであなたにとっての本題を切り出すか、です。

冒頭か、序盤か、中盤か、終盤か。

嫌な話は最初に？　座が温まった中盤に？　それとも最後の締めくくりで？　悩みます。

いずれにしても条件が1つあります。それは相手が十分にしゃべりきって満足していること。**気分よく話した後は機嫌がよくなります。そのときが「言いにくいお願いごと」を切り出すタイミング**です。

無理が通るのは、「返報性の法則」が働くから

仕事相手に十分にしゃべりきったと思える状態になってもらうには、どうしたらいいのでしょうか？

基本はあなたから質問することです。

仕事の話はもちろんですが、「相手が好きなこと」「今、興味をもっていること」「趣味」「家族のこと」など、**相手の「しゃべるスイッチ」が入る話題を探しながら質問**していきます。

質問に対する答えに共感し、気になったところをまた質問。相手が笑ったら自分はちょっと多めに笑いましょう。

会話の割合としては、**話し相手に7割しゃべってもらい、あなたが3割話すくらいの配分**で。相手にしゃべりきってもらうよき聞き手になるのに、「3割は多いな……」と思われたかもしれません。

でも、相手への質問、相手の話を受けての感想、共感を伝えながらの次の質問といった感じで話していると、会話のキャッチボールの3割はあなたが話すターンになります。

また、3割を下回る量しか話さず、ずっと聞き役に回った場合、相手は「この人、じつは私の話に興味がないのかも？」と感じてしまう可能性があります。

そうやって**「しゃべるスイッチを探す」という心がけをもっていると、自然と相手の話を真剣に聞くようになれる**はずです。十分に自分の話をした後、**相手の心がオー**

プンになったところで「言いにくいお願いごと」を。

先ほど、聞く力はおもてなしと書きました。十分にしゃべりきった相手は十分にもてなされたと感じています。すると、ここで人間の基本的な心理である**「返報性の法則」が働く**のです。

もてなしてもらったぶん、次は私がおもてなしをしよう、と。その気もちがあるから、相手は「言いにくいお願いごと」を受け入れてくれるのです。

まとめ

- 相手の「しゃべるスイッチ」を探しながら質問をして、気もちよく話してもらう。
- 会話の割合は、相手：自分＝7：3。
- 言いにくいお願いごとは、相手が十分しゃべって満足しきってから切り出す。

13 先に結論を言って「わかりやすさ」を演出する

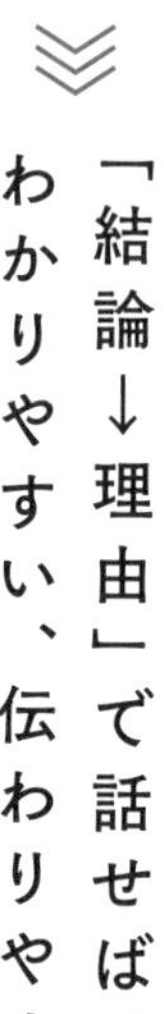

「結論→理由」で話せば、わかりやすい、伝わりやすい

「いい質問ですねぇ」のフレーズでおなじみの池上彰さんは、わかりやすい解説の達人です。

たとえば、ＳＤＧｓ（＝持続可能な開発目標）をとり上げたある講演で池上さんは、「ＮＯ ＰＯＶＥＲＴＹ～貧困をなくそう～」についてこんな解説をされていました。

「貧困には〝絶対的な貧困〟と〝相対的な貧困〟があります。

前者は、世界的に見て貧しい状態。後者は、国内のほかの人に比べて貧しい状態で

す。たとえば、日本でも格差が広がっていて、『子ども食堂』や無料学習支援が全国的に進んでいますね。絶対的な貧困をなくすのが一番大事だけれど、豊かな人と貧しい人との差がなるべく少ない国づくりが必要とされています」

池上さんの解説の特徴は、**起承転結の「結」から入っていく**こと。

まず「こういう話です」「こういう解説をします」と説明し、その先の展開の地図を見せます。これはある種のつかみで、聞き手や視聴者は「え、そうだったんだ」「え、どういうことだろう?」と興味をもち、自然と話の続きに集中してしまうのです。

この結論から切り出し、組み立てていく話法はビジネスシーンでも必ず役立ちます。

しかも、声のトーンの使い分けもされています。

スタジオにいるほかのコメンテーターやゲストと話すときは、やさしさやおおらかさを感じさせる「高い声×ゆっくり」、具体的な解説を展開するときは理路整然と伝わる押し出し「低い声×速い」。この使い分けがうまくいっているので、難しい内容でも「なるほど」「わかった」という好印象が残ります。

池上彰さんの解説は**「結論→理由」という流れになっているからこそ**、あれもこれも詰め込めこんで話してしまう人、自分の経験談を中心にしてまとめようとする人に比べて、**圧倒的に伝わりやすくわかりやすく感じる**のです。

わかりやすさは聞き手のメンタルを安定させる

じつはこうした話の組み立て方は「ＰＲＥＰ法」（プレップ法）と呼ばれ、**論理的なプレゼンテーションの仕方として広くビジネスシーンでも使われている**話法です。

Ｐ＝Point（結論）
Ｒ＝Reason（理由）
Ｅ＝Example（事例）
Ｐ＝Point（結論を再度提示）

たとえば、次のような業務上のトラブルが発生したとき、「ＰＲＥＰ法」ならこんな報告の仕方になります。

P＝納期が遅れるトラブルが発生しました
R＝コロナ禍で工場の稼働率が下がったためです
E＝前年と比較すると、稼働率は60％に落ち込んでいます
P＝取引先には、納期の遅れが生じる理由と納品日を伝え、理解していただきました

報告を受ける側としては「何が起き、どう解決するのか」がわかるので受け止めやすく、感情的ないらだちも起きません。わかりやすさは相手のメンタルを安定させるテクニックでもあるのです。

まとめ

- まず結論から切り出し、次に理由を述べれば、話がわかりやすくなり、相手に伝わりやすくなる。
- わかりやすい話の組み立てなら、相手は安心して聞くことができる。

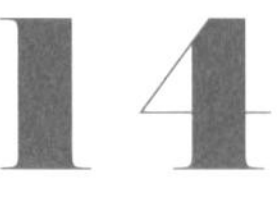

「よかったこと」「得意なこと」「楽しいこと」で雑談の話題を振る

アイスブレーク用のトークとして高い評価を受けた話題とは？

「はじめまして」の人との面談は緊張するものです。

とくにビジネスシーンでの「はじめまして」の後の会話は、くだけすぎても場違いになってしまうことがありますし、かといって天気の話や「ここまでは何線の電車で？」「クルマですか？」といった交通手段の話題だけでは間がもたないこともあります。

できれば、本題に入る前に少し打ち解けて「○○社の△△さんは感じがよかったな」「これからうまく仕事がしていけそうだな」という印象を残したいものですよね。

そこで、**大事になってくるのがアイスブレーク用の話題**です。

海外で行われた初対面での会話に関する実験（2016年、メルシー・コープスという国際支援団体が300人の男女を集め、無作為にペアを組んでもらい、3分間の会話実験を行った）で、アイスブレーク用に最適な話題が明らかになっています。

実験では、7つのパターンの話題を用意し、どの話をしたときに相手と打ち解けたと感じたかを調べました。その結果、高い評価を受けたのが、次の3つの質問から始まる会話でした。

①「今日は何かいいことがありましたか？」
②「最近、個人的に熱心にとり組んでいる活動はありますか？」
③「何かワクワクするようなイベントはありますか？」

この3つの話題、言われてみれば「なるほど……」と思ってしまいますよね。どの質問もポジティブな言葉を引き出しやすい内容で、かつ、返答のなかにほどほどに個人的な部分が見えるバランスのよさがあります。

盛り上がりやすい

「会話スターター」ランキング

2016年、メルシー・コープス（国際支援団体）が300人の男女を集めて行った実験で、次の7パターンで会話をスタートさせ、どのパターンがもっともよかったかを採点した結果のランキング。この順位のなかでは、1〜3位までがほぼ同率で、6〜7位はかなり点数が低かった。

1位〉今日は何かいいことがありましたか？

2位〉最近、個人的に熱心にとり組んでいる活動はありますか？

3位〉何かワクワクするようなイベントはありますか？

4位〉あなたのことを聞かせてください

5位〉今日はなんで参加したのですか？（イベントやパーティなどで使うスターター）

6位〉ご職業は何ですか？

7位〉調子はどうですか？

ポジティブな話題はうれしさ、楽しさが共鳴して盛り上がる

実際、私も日常的にこんな質問から雑談を始めることが多いなと気づきました。

「笑顔が素敵ですね。何かいいことありました？」

「最近、ハマっていることとってありますか？」

「もうすぐ○○休みですね。何か計画を立てていますか？」

先日も仕事の打ち合わせの冒頭でアイスブレークのつもりが、「最近、ハマっていることってありますか？」「『シン・エヴァンゲリオン劇場版』を見て〜」「私もです！」としばらくみんなで盛り上がってしまいました。

自分の好きなこと、興味をもっていること、情熱をもって打ち込んでいること、楽しみな予定など、ポジティブな話題は人に伝えたくなります。

また、**「すごいですね」「楽しいですよね」「あれ、いいですよね」**と、**自然と褒め合うコミュニケーションが成立**していくので、うれしさが共鳴し合って会話が盛り上がっていきます。

時間にすればわずか1秒で聞ける質問が、「はじめまして」の2人の関係性をほどよく打ち解けたものにしてくれます。

まとめ

●アイスブレーク用の雑談は、「よかったこと」「得意なこと」「楽しかったこと」で話題を振ると、話が盛り上がる。

「でも」「いや」「逆に」残念な最初の1秒に要注意

相手に否定感を与える残念な口ぐせ

「今年の新人の○○さん、受け答えがしっかりしていていいですよね」
「でも、ちょっと堅い感じがするなあ？　まあ、たしかにしっかりしているけど」

「このあいだ、課長が提案していたプラン、可能性ありそうでしたよね？」
「いや、どうかな。悪くない提案だったけど、うちの経営層、頭が固いからね」

「うちの店で改善したいこととか……何かいいアイデアあります？」

「逆に、私が気になった点をお話ししてもいいですか？」

賛成しているのに「でも」と言ったり、同じ意見なのに「いや」と返したり、脈絡もなく「逆に」と目新しさを出したり……。本人は悪気なく発しているかもしれませんが、言われた相手は「ん？」と引っかかってしまうもの。

とくに仕事上のやりとりで頻繁に「でも」「いや」「逆に」を使っていると、周囲に「どんな意見も否定する人」「前向きな対話にブレーキをかける人」「話が通じない人」といった印象が残り、知らず知らずのうちに信頼を失ってしまいます。

「でも」「いや」「逆に」を「そうですね」に言い換える

こうした無意識のうちに出ている否定語は、じわじわと積み重なってあなたの印象を悪くしていきますので、できるだけ早く改善したいものです。そこで、オススメしたいのが会話の録音です。会議中の発言、上司とのミーティングのやりとりなど、自分がどんな会話をし、どう受け答えしているのかを重点的にチェックしていきましょう。

幸いコロナ禍以降、リモートでの打ち合わせや会議が増えたため、ZOOMなどのアプリで簡単に会話の録音・録画ができるようになりました。

聞き返してみると、思った以上に「逆に」と言っている自分や、「でも」「いや」を連呼している自分、「いや、そうじゃなくて」と返しながら結局、同僚の意見に同意している自分に気づくかもしれません。

そうしたら、次は「でも」「いや」「逆に」を言い換えるトレーニングです。やり方は簡単。「でも」「いや」「逆に」をすべて、「そうですね」に置き換えましょう。

言うべき必要があるときは「そうですね。でも〜」「そうですね。だけど、逆にこれは〜」という使い方にしていきましょう。いったん、相手の話を肯定的に受け止める「そうですね」を挟むだけで、印象はがらりと変わります。

まとめ

- **「でも」「いや」「逆に」が口ぐせになっていないかチェックする。**
- **口ぐせになっている人は、「そうですね」に置き換える練習をする。**

第3章

出会いの1秒

好感を抱かせる

16

1秒で心をつかむ大原則「笑顔」

笑顔はどんなシチュエーションでも最強の武器になります

1秒で相手の心を動かすためにもっとも大切なのは、笑顔です。

たとえば、あなたが初めて訪れた街で道を尋ねたいな……と思ったとき、「険しい表情で立っている人」と「朗（ほが）らかな顔で立っている人」を見かけたら、どちらに声をかけますか？

あるいは、会計でレジに並んでいるとき、「どうぞー」と笑顔で誘導してくれる店員さんと、無言で「空いてますよ」と手で示す人。どちらのレジを選びますか？

好みはそれぞれですから、100人いれば100人とまでは言いません。

でも、大半の人は朗らかな顔で立っている人に「ちょっとお尋ねしてもいいですか？」と声をかけ、笑顔の「どうぞー」に惹かれてそちらのレジに向かうはずです。**笑顔は、「あなたを受け入れます」「敵意をもっていませんよ」というサイン**。とくに出会いの場では、スマイルは最強の武器になります。

というのも、私たちの脳は危険を回避する方向に発達してきたからです。これは動物が生き残るための基本戦略で、「楽しそう」よりも「危ない！」を優先的に見つけ出して、避けようとします。

その点、**笑顔は「私はあなたの敵ではないですよー」という無言のメッセージ**を発信してくれます。

ですから、出会いの場の第一印象で好印象を残したいなら、笑顔を見せましょう。

これは「1秒で心をつかむ」を実践していくための大原則。

スマイルは、どんなとき、どんなシチュエーションでも、あなたを支える最強の武器になります。

ほんの少し口角を上げるだけで、第一印象が大きく変わります

裏を返すと、出会いの場でぶっきらぼうに振る舞ってしまう人、笑顔をつくれない人は相手に与える第一印象を考えていない人です。

好印象を残したいなら、笑顔を標準装備していきましょう。

もし、緊張して表情がこわばってしまう、地顔がムスッとしているから……と心配だったら、鏡の前で練習です。

無理に愛想笑いをつくる必要はありません。

ほんの「1秒」で、あなたの魅力をアップさせる武器になる笑顔が仕上がります。

鏡に向かって、口角を上げてみましょう。これだけで表情が和らいで、自然な微笑みが浮かんでいるはずです。

出会いの場に臨むときは、口角を少し上げ気味に。これを意識するだけで、相手が受けるあなたの第一印象は「話しやすそう」「優しそう」「いい人そう」とポジティブな方向に変化します。

相手の冗談には いつもよりちょっと多めに笑う

そして、相手がちょっとユーモラスなことを言ってくれたら、声を出して笑いましょう。

「ははは」「うふふ」と。大笑いはやりすぎです。でも、**笑い声を出して反応すると、それだけで相手はうれしくなりますし**、もっと話そうという気もちになってくれます。

含み笑いや大笑いではなく、声に出していつもよりちょっと多めに笑うこと。

笑顔と笑い声で、あなたの印象は一気によくなります。

まとめ

- **日ごろから口角を上げる練習をしておく。**
- **相手の話にちょっと多めに笑う。**

見た瞬間の1秒で好印象を与える「姿勢」

姿勢をよくするだけで、「人は見た目が9割」の壁を越えられる

「メラビアンの法則」という言葉を聞いたことがありますか？

心理学者アルバート・メラビアンが、初対面の人に会ったとき、私たちはどこから受けた印象を優先するのかを実験・分析した法則です。

そこでわかったのは、**初対面の相手がどんなによい内容の話をしても、優先されるのはその人の「見た目」や「話し方」**でした。

実験では93％の人が目や耳から入ってくる情報に注意を向け、話の内容から判断した人はわずか7％だったのです。

つまり、「この人、怪しくない？」「なんだか、気弱そう」「ボソボソ話していて、聞きにくい」といった第一印象をもたれてしまうと一大事だということ。

それを覆すのは難しく、逆に「見た目」や「話し方」で好印象を与えることができていると、その後の話の内容も効果的に伝わっていきます。

こうした**第一印象の仕組みを踏まえたうえでオススメしたいのが、姿勢を整えることです。**

初対面の人と会う前、大事な人との待ち合わせ、取引先のオフィスに入る前など、これから出会う相手に好印象を与えたいとき、すっと背筋を伸ばし、立ち姿を整えましょう。

胸を張るだけで第一印象がよくなることは科学的にも証明済み

「この人、すっと立っていてかっこいいな」

「仕事ができそう」

立ち姿が美しい人は、相手にそんな印象を与えます。その理由には科学的な裏づけ

もあります。

たとえば、アメリカの南カリフォルニア大学の研究によると、**人は胸を張って背筋を伸ばした姿勢でいるほうが、猫背で前かがみになっているときよりも、痛みやストレスに耐える力が強くなる**ことがわかっています。

また、**胸を張った姿勢をとると、脳内で勇気や自信と関係する男性ホルモン「テストステロン」の値が上昇する**というデータも。


つまり、人と会う前に姿勢を整えると、プレッシャーに対して冷静な自分、相手から見て自信のある雰囲気をつくり出すことができるのです。

日ごろ、私たちの生活を振り返ると、頭が重いこともあって姿勢はどうしても前かがみになりがち。とくにスマホを使っていると、ついつい猫背でうつむいた姿勢になっています。

でも、その立ち姿が第一印象を悪くしていることになかなか自分では気づくことができません。だからこそ、大事な人と会う前は、背筋を伸ばし、胸を張りましょう。同時に空を見上げると、リラックス効果も得られます。

ほんのわずかな準備で、あなたの第一印象をポジティブなものに変えられる「攻めの1秒」のテクニック。今日から試していきましょう。

まとめ

- 姿勢をよくするだけで、第一印象の好感度が大幅にアップする。
- 姿勢をよくするだけで、自然と自信が出てくる。
- 姿勢をよくするだけで、まわりからも自信があるように見える。

18 出会った瞬間の1秒で好印象を与える「色」

自分が思うより1段階明るめの服を着て、相手の気もちも引き上げる

あなたの第一印象を左右する「見た目」には、姿勢に加え、ファッションも大きな影響を与えています。

もちろん、おしゃれは好きな服で楽しむのが一番です。ただ、相手に好印象を与えたいときには押さえておきたいポイントがあります。

それは、色合いです。

・今日は大事な人と会う

・相手に自分のやる気や好意をアピールしたい
・「この人と一緒にいると元気が出るな」と思ってもらいたい

そんなときは、**あなたが思うよりも1段階明るめの服を選んで身につけましょう。**

私も講演会やセミナーなど、自分が主体となって多くの人の前に出るシーンでは淡いピンク、ブルー、オレンジ、白といった明るく、爽やかな色合いを使ったコーディネートにしています。

そこには自分の気もちを上げる意味合いもありますが、それ以上に**お会いする相手の気もちをちょっと上向きにしたい、入っていく現場の雰囲気を明るくしたい**という狙いがあります。

誠実さを印象づける紺、安らぎを与える緑

とはいえ、男性の場合、明るい色合いのジャケットやスーツを選ぶのが難しいかもしれません。

イメージに合う色をとり入れよう！

赤	情熱、生命力、積極的、興奮、怒り
オレンジ	陽気、元気、社交的、自由奔放
ピンク	愛情、恋愛、しあわせ、依存
茶色	落ち着き、豊穣、継続、伝統
黄色	希望、ユーモア、無邪気さ、好奇心
白	純粋さ、リセット、清潔

緑	安らぎ、調和、バランス、マイペース
紫	癒し、神秘、高貴、厳粛
紺	誠実さ、直感力、堅実
青	知的、誠実、静か、内向
グレー	落ち着き、中立、迷い
黒	威厳、強い意思、不変、孤独

そこで、オススメしたいのがネクタイやチーフなどにポイントカラーを入れること。

誠実な印象を与える紺色のスーツに明るい色合いを合わせることで、自然と会った人の気もちを上向きにすることができます。色彩心理学では、

- 紺……誠実さ、堅実
- 赤……情熱、積極的
- 緑……安らぎ、調和、バランス
- 白……純粋さ、清潔
- オレンジ……元気、楽しさ、社交的

といった色彩ごとのイメージ、パワーが定義づけられています。

会って数秒で決まってしまう第一印象。着る服の色を変えれば、1秒で第一印象を変えることができます。

事前の準備として気もちを盛り立てるカラーを選んで、ファーストコンタクトを成功させましょう。

まとめ

- 自分が思うより一段階明るめの色使いで、自分の気もちも相手の気もちも引き上げる。
- 状況に合わせて、色彩心理学の効果をとり入れてみる。

口角を上げて声を発するだけで「いい声」になる

声もルックスの1つ。いい声の「はじめまして」で瞬時にいい印象を与える

「はじめまして！」
「こんにちは！」
「今日はよろしくお願いします！」

あなたは人と会ったときの第一声を大切にしていますか？
なんとなくぼんやりしたまま挨拶をしていたり、直前に起きた嫌なこと（上司からの叱責、家を出る前に起きたパートナーとの口喧嘩、ランチで態度の悪い店員さんに接客されたなど）に気もちが向いてしまい、暗い声を出してしまったり、人見知りな性格が出てボソボソとした発声になったりしていませんか。

初対面の人に対しても、何度目かの商談相手でも、その日、初めて会うときの第一声は重要です。

心理学の複数の研究によって、第一印象は0・2秒から7秒のあいだにつくられることがわかっています。そして、そこには94ページでとり上げた「メラビアンの法則」が強く影響を与えているのです。

出会いでの印象は、見た目＋話し方の2段階式になっています。

とくに挨拶の第一声は、あなたの第一印象を左右するのです。

明るい声ならば「感じのいい人」に、ボソボソした声ならば「なんだか暗そうな人」に、イライラした声ならば「気が短そうな人」に……。

わたしは常々、声もルックスの1つだと考えています。

みなさんもぜひ、「声の第一印象」を意識して、初対面の好感度を上げていきましょう。

口角を上げた第一声で好感度が上がる理由

艶のあるいい声を出すコツは、２つあります。

１つは腹式呼吸でお腹から声を出すこと。

腹式呼吸は何歳からでもトレーニングをすれば身につきます。その具体的な方法は巻末付録の2ページで解説しますので、お腹から出す魅力的な声を身につけていきましょう。

そして、もう1つのコツは今すぐにできます。

それは第一声を出すときに、口角を上げること。

口角を上げて発声すると、人の耳が聞きとりやすく、心地よさを感じる３０００ヘルツ付近の周波数の声になることがわかっています。

つまり、口角を上げてお腹から出した「はじめまして！」「こんにちは！」「今日はよろしくお願いします！」は、艶のあるいい声となってあなたの第一印象を高めてくれるのです。

しかも、**口角が上がると自然と笑顔になります**。

自然な笑顔を浮かべて、心地よい第一声を発してくれた相手に嫌な感情をもつことはできません。それは笑顔の人に対して、こちらも微笑みを返したくなる**「笑顔の返報性」が働く**からです。

「こんにちは。お久しぶりです」

「お元気でしたか？」

笑顔で始まった会話は好印象につながり、相手を「また、この人に会いたいな」という気もちにさせます。艶のある第一声を意識して、「笑顔の返報性」が働く出会いを演出しましょう。

まとめ

- **声もルックスの1つ。いい声の第一声で第一印象の好感度が上がる。**
- **口角を上げて声を出すと、3000ヘルツのいい声になる。**
- **口角を上げると自然と笑顔になり、好印象を与える。**

マスクをしていても一瞬で〝感じのいい表情〟をつくるコツ

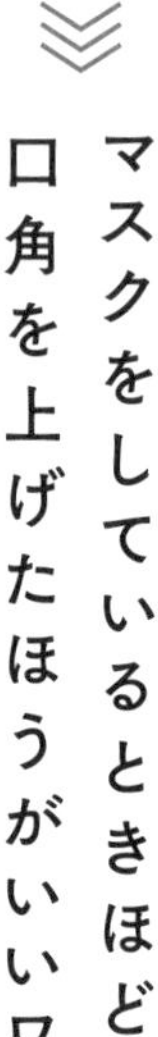

マスクをしているときほど、口角を上げたほうがいいワケ

コロナ禍の日常が続くうち、季節を問わず真夏でもマスクをつけるのが当たり前になってしまいました。

マスクをしていると、鼻から下、口元の表情が見えません。大手化粧品メーカーが20代から60代の男女を対象に行った調査によると、マスク着用時に感じるコミュニケーションの課題として、次の3つが指摘されています。

「相手の声が聞きとりにくい」（46・9％）

「相手の表情が読みとりづらい」（36・4％）
「こちらの感情が伝わりにくい」（22・1％）

口元がマスクでさえぎられると、相手の表情や感情が読みとりづらくコミュニケーション上のすれ違いが起こりやすくなります。

だからこそ、心がけたいのが口角を上げること。どうせマスクの下だから見えないし……と考えず、普段よりも余計に口角を上げましょう。

なぜなら、表情筋はつながっていて**口元から笑顔になっていると、自然と目元も優しくなる**からです。

口元が隠れるからこそ、目元の微笑みに注目が集まります

私たちが相手の表情を見て、「笑っている」「笑顔を浮かべている」と感じるポイントは大きく3つあります。

- **口角が上がっていること**
- **目尻が下がっていること**
- **上の歯が見えていること**

でも、**コロナ禍のマスク生活では**、このうちの2つのポイントが隠れてしまいます。つまり、**目の表情がとても重要になってくる**わけです。

「目は口ほどにものを言う」「目は心の窓」というように、目の力は非言語でのコミュニケーションで大きな役割を担っています。

口角を上げると、自然と目尻が下がり、目元にやわらかな微笑みが浮かびます。話し相手はあなたの目元の笑顔を見て、リラックスしながらコミュニケーションに臨んでくれるはずです。

今ひとつ感覚がつかめないのなら、スマホとマスクを用意して次の3つの写真を撮ってみましょう。

① マスクをして、真顔の自分を撮影

②マスクをせず、口角を上げて、唇を少し開き、上の歯を見せ、目尻を下げ、笑顔の自分を撮影

③②の状態でマスクをして撮影

③がマスク着用時でも相手に伝わる笑顔になります。

マスクをしているからこそ、いつもより口角を上げ、目元の笑顔を意識すること。

簡単にできる「受けの1秒」テクニックです。

まとめ

- **マスクをしているときは、目の表情がとても重要。**
- **口角を上げれば、自然と目元がやわらかくなる。**
- **マスクをしているときほど、笑顔の意識をもつ。**

1秒で心をつかむ声の法則

声の高低、話すスピードで人に与える印象はがらりと変わります。ここでは人に与えたい印象別に4つの方法を紹介します。ぜひさまざまなシーンにとり入れてみてください。

声の高低、話すスピードで あなたの印象はガラリと変わります

私は**「話すこと=口からエネルギーを出して、人に届けること」**だと考えています。ですから、声の大きさや話すスピードは一定にするのではなく、状況によって調整することが大切です。

たとえば、大勢の人の前で話すとき、私はいつもより高い声で、スピードもやや速くしてスピーチを始めます。これは高音とテンションの高い口調が明るくてエネルギッシュな印象を与えるからです。

「何か始まった！」と周囲の注意を引きつけ、これから語られる内容に興味をもってもらえます。そのまま速いテンポで話していくと、話し手のエネルギーが伝わっていき、聞き手のテンションも高まっていきます。

ただ、ずっとその調子で話が続くと、聴衆は圧倒されすぎて、疲れてしまい、集中力が途切れてしまいます。

そこで私は、大勢の人の前で話すとき、最初は高い声で始め、途中から低く落ち着いた声でゆっくり話し、また締めくくりに向かう段階で高く、テンションの高い話し方に。つまり、**声の大きさと話すスピードを調整することで、聞き手が受ける印象を変え、興味、関心が持続するよう工夫**しているのです。

あなたは自分の声が周囲の人たちにどんな印象を与えているか想像してみたことがありますか？

声の高低、話すスピードによってあなたが放つエネルギーの出力は変化し、与える印象も変わります。そこに、大勢の前か、一対一か、電話やオンラインかなど、話している環境、状況も加えると、同じ人が同じ内容を話していても伝わり方は大きく異なってくるのです。

もちろん、声は1秒で相手の心をつかめるかどうかにも深く関わってきます。

このパートでは、声の高低、話すスピードの組み合わせがつくり出す、あなたのイメージを4つに分けて紹介。合わせて、どの組み合わせがどの環境、状況に適しているのかも解説していきます。

声とスピードの4つのタイプ

1 高い声×速い

エネルギッシュ、元気、明るい、若々しい、押しが強い

著名人では

中田敦彦、ひろゆき、伊達みきお（サンドウィッチマン）

2 高い声×ゆっくり

おおらか、包容力がある、ほんわか、癒やし、母性的

著名人では

綾瀬はるか、深田恭子、浅田真央

3 低い声×ゆっくり

落ち着き、癒やし、安心感、父性的

著名人では

福山雅治、阿部寛、玉木宏、吉田羊、富澤たけし（サンドウィッチマン）

4 低い声×速い

知的、論理的、仕事ができる、クール

著名人では

竹野内豊、戸田恵梨香、ケンドーコバヤシ、谷原章介

高い声 × 速い ＝ 明るく、エネルギッシュなイメージ

高い声で速い話し方は、話し手のイメージを元気で明るくエネルギッシュなものにします。一方で、押しが強く、聞き手に緊張感を与えることも。また、**話の冒頭、途中など、ポイント、ポイントの1秒で意図的に高い声で速い話し方を繰り出すと、聞き手の注意を引きつける**ことができます。

そんな「高い声×速い」の特性を理解し、うまく活用しているのが人気ユーチューバーのみなさん。それも学習系、教育系、ビジネス系のユーチューバーは意図的に「高い声×速い」を使い、視聴者を集めています。

とくにマコなり社長やひろゆきさん、中田敦彦さんといった方々はポイント、ポイ

ントで高く速い語り口を駆使し、聞き手の目と耳を引きつけ、人気を集めています。

そのほか、登録者数の多い人気ユーチューバーの動画のほとんどは冒頭に注目を引く「高い声×速い」でのキャッチフレーズが使われているので、チェックしてみてください。

また、ＹｏｕＴｕｂｅに馴染みのない方は、通販番組の司会者の語り口をイメージしてもらうとわかりやすいかもしれません。

「ここがすごいんです！」

「お買い得です！」

独特のトーンと要所、要所で繰り出される高い声を聞くうち、私も何度か「すごいかも！」「お得かも！」「買わなきゃ！」という気もちになったことがあります。

気をつけなければならないのは、エネルギッシュなイメージを演出し、聞き手の注目を引く「高い声×速い」の語り口ですが、10分、20分と同じトーンが続くと、聞き手が緊張感をもち続けた結果、疲れてしまうことです。

ですから、声の使い方がうまい人は必ず緩急をつけて「高い声×速い」だけにならないよう話しています。たとえば、ジャパネットたかたの司会者の方は、出だしと終わりはテンション高く、中盤は落ち着いて話すというメリハリをしっかりとつけています。見事だと思います。

マコなり社長は「高い声×速い」で視聴者を引きつけた後は、ロジカルで知的なイメージのする「低い声×速い」でしっかりと語りかけていきます。

もちろん、こうした人気ユーチューバーの語り口をそのまま真似するのはなかなかハードルの高いとり組みです。ただ、ポイント、ポイントに「高い声×速い」を組み込み、聞き手を飽きさせない工夫などは、すぐに実践することができるのではないでしょうか。

2

高い声×ゆっくり＝おおらかで包容力のあるイメージ

高い声でゆっくりと話す語り口は、聞き手に母性的で優しい印象を与えます。わかりやすい例は、保育士さんが子どもたちに話しかけるトーン。誰もがもっている母性的な一面が見える話し方で、話し手のおおらかさ、優しさが伝わっていくのです。

もちろん、話しているあいだずっと「高い声×ゆっくり」の話し方が続くと、天然系のおっとりしたキャラクターづけをしている感じもしてきて、好印象とばかりはいかないかもしれません。

「高い声×速い」と同じく、使いどころが肝心です。

たとえば、**相手の話を受けてのリアクションで「そうなんですか！」「なるほど、初めて聞きました」「へー、意外ですね！」といったフレーズを「高い声×ゆっくり」**

で繰り出すと、話し手はリラックスでき、かつ「自分の話を受け入れてくれた」「楽しんでくれているかも」と感じます。

コミュニケーションで大事なのは、言葉で意思を伝えることだけではありません。意思は受け止めてもらわなければ伝わらないからです。ですから、コミュニケーションがうまい人は、伝え方が巧みなだけでなく、受け止められ方も意識的。自分が話しをする相手がどんな人たちで、どんなイメージを求めているのかを考え、整理する視点をもっていて損はありません。

計算高く見られるかも……とブレーキをかけるより、場面に応じて「高い声×速い」や「高い声×ゆっくり」の話し方を使い分け、相手が受けるあなたのイメージを演出していきましょう。

3

低い声 × ゆっくり ＝ 落ち着いた癒やし系のイメージ

低い声でゆっくりした口調は落ち着いていて、癒やされるイメージを与えます。

「この人になら悩みごとを相談してもいいかも」

「どんなアドバイスをしてくれるか、聞いてみたい」

話し相手は「低い声×ゆっくり」の語り口の人に対して、頼れる存在だと感じるのです。

1対1での対話、相談ごと、議論が出尽くした後の会議のまとめ、興奮している相手をなだめるときなど、「低い声×ゆっくり」の話し方は包み込むような温かさを発揮します。

たとえば、弔事（ちょうじ）を述べるとき、いくら「高い声×速い」が聞き手の注意を引くからといって「○○さんに、お別れの言葉を申し上げます」とハイテンションで入ってしまうと完全に場違いです。

すでに場は静かに弔事を待っている状態ですから、本来、人前で話すときの導入としては迫力に欠ける「低い声×ゆっくり」が力を発揮します。友人の立場として故人との思い出を述べるとしても説得力が増し、抱えている悲しみがじわじわと伝わっていきます。

また、**あなたが部下や後輩、若手のスタッフ、子どもを褒めるときは意識的にこのトーンを使ってみてください。**

「うーん、やっぱり、すごいな」
「なるほど。それはいいね」

うなずきながら、ゆっくり低い声で褒めます。わずか1秒の短いセリフですが、その説得力は褒め言葉をたくさん連ねるよりも大きなものに。

「低い声×ゆっくり」＋「肯定語」の組み合わせを試してみましょう。

4

低い声 × 速い ＝ 頭脳明晰で仕事ができるイメージ

低い声で速い語り口は、頭がよく、冷静で、客観的に物事を見ているイメージを醸（かも）し出します。また、この口調は聞きとりやすく、電話やビジネスシーンでのやりとり向き。あなたの言葉に説得力、信頼感を加えてくれるので、商談、説得、プレゼン、アドバイスなどの場面で有効です。

また、**上司や取引先などにミスや失敗の報告をするときも「低い声×速く」が役立ちます。**残念な報告だからこそ、手短でロジカルに組み立てられていたほうが相手も冷静に聞くことができるからです。

プライベートでは、かっこいい自分を演出したいとき、知的な印象を残したいときも「低い声×速い」を意識しましょう。もの知り、頼れるといったイメージをつくることができます。ただし、「えー」「あー」が続いたり、「っていうか」など稚拙な印象を与える言葉が挟まらないようご注意ください。

一方、**「低い声×速い」の話し方にも欠点**があります。

それは**理詰めで相手を追い詰めるような印象を与えてしまう**こと。とくにあなたが上司や先輩の立場の場合、聞き手は「わかるけど、きついな」と感じてしまいます。

そんなときは「高い声×ゆっくり」で「でもな、ここはよかったよな」「あんまり言われすぎると、きついよな」など、場の雰囲気をほぐす言葉掛けが有効です。

こうしたトーンの切り替えを巧みに行っているのが、ユーチューバーのみなさんです。学び系、解説系のユーチューバーは「高い声×速い」で視聴者を引きつけた後、声のトーンを「低い声×速い」に切り替え、画面越しに語りかけてきます。この声のトーンの切り替えのタイミングが、視聴者に「あ、本編に入ったんだな」「ここから解説や分析が始まるんだな」と感じさせるスイッチにもなっているわけです。

そして、大事なポイントにくると、再び「高い声×速い」で「さて、ここは重要です」「ここで1つ疑問に思うことがありますよね？」などと切り出し、視聴者に「集中して」というサインを出します。

第4章

雑談の1秒

感じのよさを与える

21 雑談は「最初の1秒」で9割決まる

雑談は難しい。そう感じる2つの理由

雑談って難しい……と感じたことはありますか？

私はアナウンサーの仕事を始めて1～2年は雑談が苦手でした。でも、今では初対面の人と30分でも、1時間でも話していられます。それは仕事柄「はじめまして」の人と会い、インタビューをする場数を踏んで自分なりの雑談のコツをつかんだからです。

インタビューにしても、商談にしても、いきなり深い話を始めることはほとんどありません。たいていは「今日は暑い（寒い）ですね」「昨日の〇〇のニュース、驚きましたね」など、雑談を交わしてから徐々に本題に入っていきます。

雑談は助走のようなもの。

そのあいだに意外な共通点が見つかり、親しみを感じるようになったり、価値観が似ているなと思ったり、相手との距離が近づくきっかけとなります。

でも、やっぱり雑談は難しい。そう感じるのは、相手のことをよく知らないうえに、話題を選ばなくてはいけないからです。

家族や友人、職場の仲間との会話に困ることはほとんどありません。それはお互いの人となりや興味を知っているからです。

その点、よく知らない微妙な距離感の相手とその場の雰囲気を壊さないよう話すには、ある程度の準備が必要。その場の思いつきのアドリブで会話を回せるのは、達人だけです。

この事前の準備で、誰でも1秒で雑談をスムーズにスタートできる

雑談の話題を準備しておくことで、「はじめまして」と会った相手との会話の始まりに悩むことが減っていきます。

こんな話題で雑談を始めてみよう！

天気	今日は暑いですね！ 午後はもっと気温が上がるみたいですよ
ニュース	○○選手が金メダルをとったみたいですね！
業界話	景気がよさそうですね！ うらやましいです
季節の変化	やっと涼しくなってきましたね 夏休みはどこかに行かれましたか？
地域の話	地元は○○なんですね！ オススメの郷土料理はありますか？

- 天候や台風など、自然現象の話
- 関心度の高い最近のニュース
- それぞれの業界の話
- 季節の変化に関係した話
- 各地域の名物料理の話

ポイントは暗い話題をあまり選ばないこと。とくにニュース関連はポジティブな方向に広がっていくネタに目を向けましょう。

とくに相手が初対面で何の手がかりもないときほど、

「やっと涼しくなってきましたね。夏休みはどこかに行かれましたか？」

「地元は○○なんですね！ オススメの郷土料

理はありますか？」

といった無難で大きな質問で雑談を始めるとうまくいきます。

そして、そうした助走で話題に勢いが出始めたら、個人的な話題も挟んでいきましょう。その際、**自分の失敗談など、笑える鉄板ネタを用意しておくと、雑談が広がっていきます。**

事前の準備があれば、誰でも1秒で雑談をスムーズにスタートさせることができます。滑り出しに自信がもてれば、雑談への苦手意識も薄れていくはずです。

まとめ

- **雑談の入り口の話題を、あらかじめ用意しておく。**
- **無難でポジティブな話題で切り出す。**
- **余裕があるなら「笑える鉄板ネタ」を用意しておく。**

雑談

22

微妙な距離感の相手と1秒で打ち解ける魔法の言葉

顔はよく合わせるけど、そこまで親しくない人と気まずくならない方法

なんとなくお互いを知っているけど、まださほど親しくはない。
会えば挨拶を交わすけど、ゆっくり話したことはない。

そんな微妙な距離感の人間関係、ありますよね？
仕事で言えば、取引先の担当者の近くの席にいる人、受付の人、何度か打ち合わせで同席した人、中途入社してきたばかりの人、臨時のスタッフとして職場に加わった人……。

プライベートなら、いつも行くお店の店員さん、毎朝、保育園で顔を合わせるお父さん、お母さん、宅配業者の人、マンションの同じ階の人……。

好印象でも、悪印象でもなく、顔は知っているくらいの間柄。

こういった距離感の相手と偶然、同じ場に居合わせて気まずい沈黙の時間を過ごすことになってしまった経験はありませんか？

たとえば、移動の電車のなか、近所の公園、スーパーでレジを待つ列の途中など、「こんにちは」と挨拶はしたものの、次に何を話せばいいかわからず、モヤモヤ。

そんなシチュエーションで**2人のあいだの空気感をよくする魔法の言葉**があります。

それは、「ありがとうございます」です。

「先日はお時間をいただいて、ありがとうございます」
「忙しいところ助けていただき、ありがとうございます」
「いつも子どもたちと遊んでくださって、ありがとうございます」
「いつも時間通りに配達してくださって、ありがとうございます」

感謝の言葉をもらって嫌な気もちになる人はいません。そして、「ありがとうございます」には、相手の心を開かせる力があります。

「ありがとう」で心をつかんだ後の話題のつなぎ方

挨拶の後に「ありがとうございます」の1秒で空気感をよくする魔法をかけたら、次は相手を褒めましょう。

着ている服がかわいいなと思ったら、「そのワンピースかわいいですね」と。履いているシューズがかっこいいなと思ったら、「そのスニーカー、かっこいいですね」と。ただ、ここで大事なポイントがあります。

それは「かわいい」「かっこいい」だけで終わらせず、

「そのワンピースかわいいですね」＋「シンプルなデザイン、私も好きなんです」

「そのスニーカー、かっこいいですね」＋「僕も欲しいと思ってたんです。どこで買ったんですか？」

と主観的な好意をプラスすることです。

相手の感性を褒めながら、その感覚や雰囲気を自分も好きだと伝えましょう。するとすると、気まずい沈黙はどこかに消え、気もちのいい会話のキャッチボールが始まります。

改めて考えてみると、今は親しい友人となっている人との人間関係の始まりも、そんなやりとりからスタートしていたのかもしれません。感謝と好意から始まった会話でお互いの共通点が見つかれば、一気に距離感が縮まっていくからです。

まとめ

- **微妙な距離感の相手にはまず「ありがとう」で心をつかむ。**
- **褒める＋主観的な好意の言葉で、気もちのいい会話のキャッチボールを始める。**

23 雑談中の残念な「1秒ぐせ」をなくす方法

意味不明な「笑いのあいづち」入れてませんか?

うまく雑談が転がらないという悩みの原因は、意外なところにあるかもしれません。

たとえば、あなたのまわりにこんな人はいませんか?

- 話し始める前に「フフッ」「アハッ」と笑いを挟む人
- こちらの話に対して「フン」と鼻息や「ふ」と小さなため息で返事をする人
- 楽しい雰囲気なのに眉間にシワを寄せている人
- 怒られているはずなのに微笑んでいる人

・会話の最後に必ず「とか（笑）」「かもですね（笑）」と断定しない笑いを入れる人

私が最近、遭遇したのは和食店の店員さん。運ばれたお刺身定食の説明をしてくださったのですが、「こちらがお刺身の盛り合わせです。うふっ、こちらが鯖でこちらが鯛で、うふっ、こちらは鮪のトロです。ふふっ、こちらのお塩でも召し上がってみてください」と、説明のあいだに入る謎の笑いがとても気になりました。

また、これは昔の話ですが、初めての美容師さんに、「前髪カットお願いします」と言ったところ、「アハッ、わかりました」と返されました。

こんなふうに会話のなかに意味のない笑いが入ってしまうと、「何かおかしなことをしでかしてしまったのかな」と恥ずかしくなって、なんとも居心地が悪くなってしまうのです。

人は違和感を覚えると自分の殻に閉じこもってしまう

店員さんも美容師さんも笑うことで、接客業としてよい印象を与えようとしていたのだと思います。

でも、私たちは本来、その状況で生じるはずの感情とは関係のない反応を目の当たりにすると、強い違和感を覚えます。

脳神経科学の研究によると、これは脳が本能的に危険を察知するからだそうです。森を歩いていて、近くの茂みからガサガサと音がした！　何か危険が迫っているかもしれない！　と。これは狩猟生活を送っていた太古の記憶と関係した違和感を察知する能力なのだそう。

ですから、笑う場面ではないのに笑う人、楽しい雰囲気なのに眉間にシワを寄せている人、怒られているのに微笑んでいる人など、場にそぐわない感情の発露を目の当たりにすると、警戒心がむくむくと湧き上がるのです。

これは雑談で相手とのつながりを深めていこうと考えたとき、チャンスを逃すことになります。

なぜなら、警戒心をもつと私たちは殻にこもるからです。自分の意見や考えは胸のうちにしまっておき、心を開こうとは思いません。

何か奇妙で、怖いから、自分を守ろうとするのです。当然、関係が深まっていくこともありません。

一方、照れ笑いを挟む人、どんなときも笑みを浮かべ続ける人、眉間にシワを寄せる人は、それがくせになっているだけで、相手に違和感を与える危険信号になっていることに気づいていない可能性があります。

ぜひ、あなたも無意識のうちに感情とそぐわない反応をしてしまってはいないか、振り返ってみてください。

まとめ

- **あいづちに微妙な笑いを挟んでいないか、自分の会話をチェックする。**
- **自分の感情と態度の乖離が、相手に違和感を与える。**

24

「エレベータートーク＝天気の話＋ちょっと未来の話」で乗り切る

攻め

エレベーター内の気まずさを埋める鉄板トークとは？

何か話したほうがいいのかな？　挨拶だけで十分かな？　エレベーターは微妙な間が生まれやすい空間です。

- 取引先で商談を終えた後、担当者がエレベーターホールまで見送りにきてくれた
- あまり話したことのない、でも、お互いに顔は知っている先輩とエレベーターで2人きり
- マンションのエレベーターに乗っていたら子どもの同級生の保護者が乗ってきた

ある階からある階への移動のあいだ。エレベーターがやってくるまでのあいだ。挨拶をして、ひと言ふた言交わす時間はあっても、世間話をするほどの時間はありません。

かといって居合わせた知り合いとの物理的な距離は近く、何も話さずにだんまりスマホをいじっているのも、無愛想な印象を与えそうで不安です。

一緒にいる時間の短さと小さな声でも届く距離の近さ。

この2つが重なると、微妙な間が生まれます。そんなとき、好印象を残して立ち去ることができたら、その後の時間を気もちよく過ごせると思いませんか？

そこで役立つのが、ちょっとした雑談の1秒テクニックです。

2、3回の会話のラリーのきっかけとなる話題を投げかけ、挨拶以上、世間話未満の雑談を交わし、さっと別れる。

お互いに共有した時間を心地よく感じ、相手の心にはあなたの好印象が残ります。

ちょっとだけ未来のことを話すと気分が明るくなる

では、どんな話題がちょうどいいのでしょうか。

私は「天気」の話題をオススメしています。

一般的に雑談で天気の話をすると、「今日は暑いですね」「そうですね」で終わってしまい、気まずい沈黙が……という展開が起きがちです。

でも、わずかなあいだを埋め、つながりを感じるには天気の話がぴったり。

誰もがエレベーターに乗る前、降りた後、空の下にいるわけですから、年齢性別関係なく共通点となります。

「今日は暑いですね」「そうですね」から、その後の天候やその後の予定について、ちょっとだけ未来の話に触れましょう。数時間後や明日、明後日。そんなちょっとした未来の話は気分を明るくしてくれます。

「天気予報で、夕方、雷雨になるかもしれないと言っていましたね」

「そうなんですか。じゃあ、早めに買いものに行かないと」

「明日は外回りなので、曇ってくれるといいな」

「晴天だとつらい暑さですもんね」


そして、**エレベーターが目的の階に着いたら、「失礼します」「ありがとうございました」「また」「いってらっしゃい」と笑顔で挨拶**しましょう。

締めくくりの笑顔がプラスされることで、お互いに爽やかな後味が残ります。

ちょっとしたコツをつかめば、エレベーターに限らず、一緒にいる時間の短さと小さな声でも届く距離の近さの間の悪い沈黙をプラスに変えていくことができます。

まとめ

- **エレベーター内の雑談は「天気の話」をするのがオススメ。**
- **もう少しつなげたいなら、「この後の天気や予定の話」を。**
- **目的の階に到着したら、「失礼します」＋笑顔で挨拶を。**

雑談

25 相手に警戒心を与える「3つのNG目線」

目を合わせたり、合わせなかったりしていませんか?

子どものころ、「相手の目を見て話しなさい」と教えられた人は多いと思います。目線の動きは雑談を交わすとき、話し手と聞き手のあいだで本当にたくさんの言葉にならないメッセージを行き来させます。

たとえば、あなたが街中で偶然、久しく会っていない友だちと出くわしたとしましょう。

久々の再会で立ち話をしたいと思ったとしても、相手が目線をせわしなく動かしていたら、「急いでいるのかな?」と察して「また連絡するね」と別れるのではないで

しょうか。

あるいは、その友だちがじっとあなたの顔を見つめてきたら、「あれ？　もしかして私のこと覚えてない？」と不安になるかもしれません。

そうやって目線を受けとる側に立ったとき、目の動きがもつ力に改めて気づきます。

あなたは雑談中、相手を落ち着かない気もちにさせたり、ソワソワさせたりしてしまう目線を送ってはいませんか？

代表的なNG例は次のような目の動かし方です。

×キョロキョロとあちこちを見てしまう

話を聞きながら、遠くのほうを見たり、壁や天井のほうに目を向けたり、手元を気にしたり……。聞き手の目線がキョロキョロと定まらないと、話し手は落ち着かない気もちになります。

×相手の目を見ない

話している相手の目を見ない。見てもすぐに目をそらしてしまう。そんな目の動かし方は「この人は自分を嫌っている？」「何か隠しごとをしている？」「腹を立てている？」など、話し手にネガティブな想像力を働かせることに。

×じっと相手の目を見つめすぎてしまう

つき合いたての恋愛真っただなかのカップルでも、1回のアイコンタクトは2秒程度だと言われています。相手があまりに自分の目をじっくりと見つめ続けてきたら、私たちは圧力を感じ、「何か悪いことをしたかな？」と会話に集中できなくなります。

1秒のちょっとした目線のズレが親しみを遠ざける

こうした目の動かし方もまた、その場の状況にそぐわない感情の反応の1つです。だから、私たちは違和感をもち、相手のことを警戒し始めます。

その結果、心理的な安全性が保てなくなり、雑談を楽しめる心理状態ではなくなっていくのです。

心の安全が満たされないと、心を許した会話はできなくなり、関係性は深まっていきません。

1秒のちょっとした目線のズレが親しみを遠ざけてしまうのです。

ただ、場面によってはあえてNGな目の動かし方が役立つこともあります。

たとえば、「話を切り上げたいとき」「営業マンに買うつもりがないことをアピールしたいとき」など、キョロキョロと落ち着かない目線を使ってあなたの意思を伝えることができます。

ただし、基本は目を相手に向けること。コロナ禍のマスク生活で、目は以前よりも強いメッセージを発するようになりました。ですから、さらに目の動かし方に意識を向けていきたいものです。

でも、目線を意識しすぎると逆に不自然になってしまう……。そんな人も多いことでしょう。その対策については、次の項目で紹介します。

まとめ

●会話中のNGの目線、「まわりをキョロキョロ見る」「相手の目をまったく見ない」「相手の目をじっと見続ける」に気をつける。

26

好感度の高い「目線の合わせ方」「目線の外し方」

目を見て会話するのが苦手なら、目のまわりを見つめる

雑談のあいだの目の動かし方で、相手が受けるあなたの印象は大きく変わります。

では、好印象が残る目線とはどういうものなのでしょうか。キョロキョロとせわしなく動かすのは論外ですが、目と目を合わせてじっと見続けるのも相手への圧力となってしまいます。

私もどちらかというと、相手の目を真っ直ぐに見て話すのが苦手です。目と目が合っていると緊張してしまいます。そこで、いつも実践しているのが、**見ている雰囲気を醸し出す目の動かし方**です。

ポイントは目線をダイレクトに相手の目に向けないこと。**眉間や眉毛、目の上と下、おでこ、鼻のあたりにやわらかく目を向けていくと圧を感じさせないアイコンタクトとなります。**その状態で口角を上げ、しっかりうなずくことで話し手は気分よく話し続けてくれます。

また目を見て話すのが苦手な人は、自分がしゃべるときは、うつむくなど目線を外して話し、相手があいづちをしてくれたときに、相手の目を見てみましょう。それだけで、相手はいい印象をもつはずです。

目線を外すタイミングはいつがいい？

そして、同じくらい大切なのは「目線を外すタイミング」です。

「ずっと目を見ない」のはNGですが、「ずっと見続ける」のも相手に威圧感を与えてしまいます。

眉間や眉毛、目の上と下、おでこ、鼻あたりを見ながら相手の話に耳を傾け、会話の合間、**自分が話しだすタイミングで「うーん」と考えるときに、少し目線を外しま**

しょう。

また、**手元の資料をちらっと見たり、メモをとる動作を入れて、目をそらすのも自然な動作**です。

上手に目線を外すコツを身につければ、相手の話を聞いている感をアピールしながら、同時に威圧感も与えず、好印象をもってもらえます。

まとめ

- 目線を合わせるのが苦手なら、相手の目のまわりを見ながら話を聞く。
- 自分が話すときは、相手があいづちしてくれたときに目線を合わせる。
- 考えるしぐさ、資料を見る、メモをとる動作と同時に目線を外す。

27 会話を潤滑にさせる「オウム返し」の1秒

≫「オウム返し」で相手の承認欲求を満たしていく

- なかなか会話が弾まない
- ついつい自分ばかり話している

雑談で悩んでいる人にオススメしたい1秒テクニックが「オウム返し」です。

「先月からヨガを始めたんですよ」
「ヨガを始められたのですね！　いいですね！」

「最近、繁忙期で疲れが溜まっちゃって」
「繁忙期で疲れが溜まっているのですね。大丈夫ですか？」

例のようにオウム返しの後に、感想を続けると、会話らしくなります。
これだけで会話がかなりスムーズになりますが、もっと会話を盛り上げたいなら、ぜひ、**「オウム返し＋質問」**のテクニックを使いましょう。

「先月からヨガを始めたんですよ」
「ヨガを始めたんですか。何がきっかけだったんですか？」

「最近、繁忙期で疲れが溜まっちゃって」
「疲れが溜まるとしんどいですよね。繁忙期はまだまだ続くんですか？」

会話例を見ていただけばわかる通り、難しいところはありません。相手の話のポイントを「オウム返し」し、関連する「質問」を投げかけるだけです。

私たちには誰しも「人に認められたい」「自分の価値を理解してもらいたい」と望む承認欲求が備わっています。

ヨガを始めた人が「ヨガを始めたんですか。きっかけは？」と聞かれれば、「私の話を聞こうとしてくれている」という印象を受けます。

繁忙期で疲れたと感じている人が「疲れるとしんどいですよね」と共感され、「繁忙期はまだ続くの？」と聞かれると、気遣われた気もちになります。

つまり、**「オウム返し＋質問」はすぐに実践できる手軽さがありながら、相手の承認欲求を満たす効果を発揮する**のです。

「私のことをわかってくれる人」という印象をつくり出す

しかも、「オウム返し＋質問」の次はまた相手が多くのことを語ってくれるので、そこからまた「オウム返し＋質問」のポイントを見つけていけば、こちらから新たな話題を振る必要もありません。また、「何か気の利いた返しをして雑談を盛り上げないと」と焦る気もちも、もたずに済みます。

「オウム返し＋質問」を繰り返すだけで、どんどん話は先に進んでいくからです。


「先月からヨガを始めたんですよ」

「ヨガを始めたんですか。何がきっかけだったんですか？」

「じつは子どもと遊んでいるときに足を捻（ひね）って、体が硬くなっていると気づいて」

「体が硬くなると、怪我が増えると言いますもんね」

「そうなの。でも、自分でするストレッチは三日坊主になりそうだから、ヨガ教室に通おうって。そしたら、これがすごく気もちよくてね」


「オウム返し＋質問」は相手に「自分の話をちゃんと聞いてくれる」という印象を与え、そこから話が深まることで「この人は私のことをわかってくれる人」と心を開いてくれます。1秒で返せるフレーズが、あなたの好印象をつくってくれるのです。

まとめ

- **相手の話を「オウム返し」するだけで、会話はスムーズになる。**
- **「オウム返し＋質問」で相手の承認欲求を満たす。**

28

あいづちは下手に打つより「黙ってうなずく」

受け

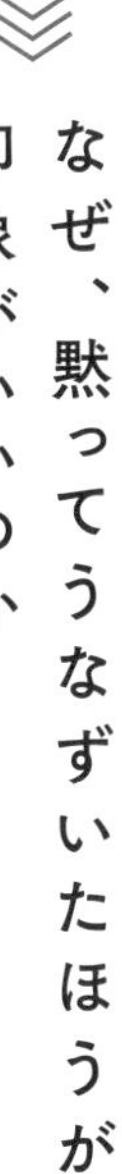

なぜ、黙ってうなずいたほうが印象がいいのか

声を出さずに相手の目を見て、口角は上げながら黙ってうなずく。

これは私がもっとも多く使っている、あいづちです。

「うんうん」「はい」「なるほど」といった言葉を出さないあいづちをするのは、少し勇気がいることかもしれません。

でも、あいづち本来の目的は「あなたの話をしっかり聞いています」「よくわかります」という意思表示。

それが相手に伝わるのであれば、言葉にして「うんうん」「はい」「なるほど」と返す必要はありません。

むしろ、目を見て、口角を上げた笑みを浮かべながら黙ってうなずくことで、相手の話すペースを乱さず、いい感じで雑談が弾んでいきます。

黙ってうなずくあいづちのよいお手本となるのが、インタビュー中のアナウンサーやキャスターです。

相手の声を確実に拾い、活かす意味もあって、不必要な「ええ」「はい」「たしかに」「なるほど」は省き、静かにうなずきながら相手の話が進むよう促していきます。

話す側は「聞いてくれている」という安心感を覚えながら、さえぎられることなく、自分のペースで話すことができるのです。

相手の気に障るNGのあいづち

逆に最近、気になっているあいづちが、「ええええ、えええええ」「なるほど、なるほど」「です、です、です」といった「はいはいはいはい」の変化バージョン。

言っている本人に悪気はなく、リズムよく「聞いていますよ」というサインを送っているのかもしれませんが、あいづちを打たれた側からすると、話をさえぎられ、落ち着かない気分になります。

「そうです」や「おっしゃるとおりです」の「です、です」だとしても、避けましょう。

黙ってうなずくあいづちで、相手の言葉と気もち全部をいったん、受け入れる。すると、肯定的な雰囲気が立ち上がる雑談の時間が生まれます。

まとめ

- **あいづちは無理して打つより、口角を上げて黙ってうなずくほうが印象がいい。**
- **独特なあいづちがくせになっていないかチェックする。**

「そうなんですね」「わかります」で共感する

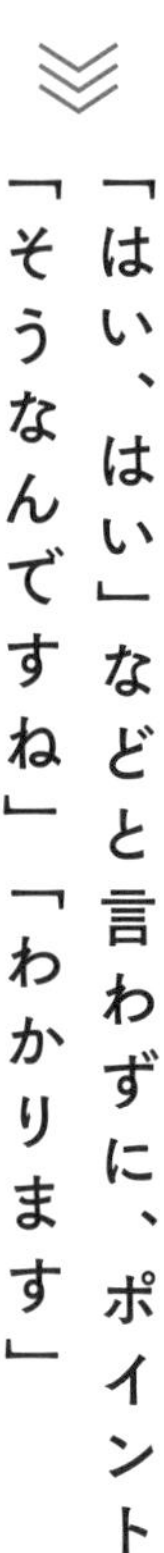

「はい、はい」などと言わずに、ポイントで「そうなんですね」「わかります」

黙ってうなずくあいづちを使って相手に心地よく話してもらうのが基本だとすると、応用編となるテクニックが言葉を添えたあいづちです。

ポイント、ポイントで深い共感や納得を伝えたいとき、「そうなんですね」「わかります」「なるほど」「それはいいですね」「同感です」と肯定的なニュアンスの短いひと言を添えながら、深くうなずきます。

その際、意識してもらいたいのが言葉に気もちを込めることです。

相手の立場に立って、そのエピソードで語られている場面の気もちを想像し、共感しながら「そうだったんですね」「わかります」と受け止めると、「この人は自分のいいたいことを本当にわかってくれているんだな」「こちらの気もちを真剣に考えてくれているんだな」と感激してくれます。

黙ってうなずくあいづちを基本としているからこそ、言葉を添え、感情の込もったあいづちの印象が際立つのです。

まとめ

●あいづちは基本は黙ってうなずき、ポイントポイントで気もちを込めて「そうだったんですね」「わかります」で共感を相手に伝える。

30 あいづちの声の高低とスピードで相手の感情を操る

相手の感情を操る「4つのあいづち」

110ページで、声の高い低いと話すスピードの組み合わせで、相手が話し手から受けるイメージが変わってくると書きました。

高い声×速い＝明るく、エネルギッシュなイメージ
高い声×ゆっくり＝おおらかで包容力のあるイメージ
低い声×ゆっくり＝落ち着いた信頼感のあるイメージ
低い声×速い＝頭脳明晰で仕事ができるイメージ

じつはこのイメージの変化、そのままあいづちにも当てはまります。

話を盛り上げたいときは、「へー」「そうなんですか」と「高い声で、速く」あいづちを打つと場の雰囲気が高まります。

逆に相手のテンションを少し落とし、**落ち着いたトーンにしたいときは「そうなんですね」「なるほど」と「低い声で、ゆっくり」**あいづちを打ちましょう。

話し手と聞き手のエネルギーはシンクロするもので、**1秒の短いあいづちでも声の高低、速度を調整することで会話のペースを変化させることができる**のです。

感心したり、驚いたりしたときは、少し高い声で「へ～そうなんですか！」と返せば、言葉に驚いたあなたの素直な感情が乗るだけでなく、明るくエネルギッシュなイメージが広がり、話し手のテンションも高まっていきます。

逆に低い声ですばやく「なるほど。もっと詳しく教えてください」と言えば、相手はロジカルにもっと詳しく説明しようと試みてくれるはずです。

黙ってうなずくあいづちと声の高低とスピード、言葉と感情を意識したあいづちの

2つを組み合わせて使えるようになれば、相手を満足させる雑談の聞き手になることができるのです。

まとめ

●あいづちの声の高低とスピードで、相手の心をさまざまな方向に動かせる。

第5章

関係を深める1秒

特別な人と思わせる

31 「それ知ってる！」と言いたい気もちを1秒こらえる

受け

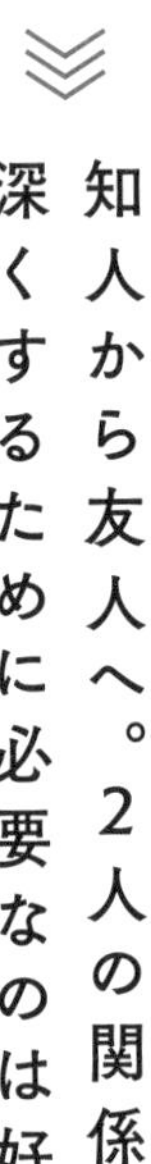

知人から友人へ。2人の関係を深くするために必要なのは好奇心

雑談で盛り上がり、気が合うな……と感じたとき、「この人ともう一段深い話をしてみたい」と思うことがあります。また、仕事を通じたつき合いの相手に対して、「もう少し強いつながりを結びたい」と感じることもあります。

知人から友人へ、仕事相手から仕事仲間へ、上司から師匠へ。

呼び方はさまざまですが、シンプルに仲よくなりたい、もっとじっくり話したい、教えを請いたい、と。そう思える人との結びつきを密にしたいなら、2人でより掘り下げた会話を楽しむのが一番です。

そこでポイントとなるのが、好奇心。

好奇心をもって相手の話が聞けていれば、小さなしくじりを気にする必要はありません。

会話は流れていくもので、少々あなたのとったリアクションや質問がおかしかろうが、いかようにもリカバリーできます。

失敗は「失敗しちゃったな」と気づけている時点で成功のもと。小さなしくじりを気にせずトライを続けましょう。

なにより好奇心をもって、「楽しい」「うれしい」「おもしろい」「興味深い」と感じながら会話をしている様子は自然と相手に伝わります。

そして、あなたの笑顔や前のめりな姿勢、先を聞きたいと促す質問やあいづちは相手にとっても喜ばしいもの。それだけで場の空気は温まっていきます。

「それ、知っている！」と言うことは、相手の話をさえぎること

逆にやってしまいがちなしくじりの典型例が、先回りです。

相手があなたの知っていることを話し始めたとき、「そのニュース、私も見ました。〇〇なんですよね」と話題を引きとり、まとめてしまう。

先回りする側には、自分の知識をアピールして認められたい気もちがあるのでしょう。

でも、話していた側にとっては、気もちのいい会話の流れではありません。

相手を掘り下げるコミュニケーションに入ったとき、大切なのは「知らないふり」をすること。

「それ、知っている！」と言いたい気もちを1秒のあいだ、ぐっとこらえましょう。会話の流れをスムーズにするのは、「知識の披露」ではなく「的を射た質問」です。

ときには知っていることでも、知らないふりをして質問を続けましょう。

掘り下げたコミュニケーションが苦手、なかなか仲よくなりたい相手との距離が縮まらないと悩む人に限って、「知っています」と知識を披露しがちです。

これは「雑談が上手な人」「頭のいい人」もやりがちな落とし穴ですから、気をつけていきましょう。

コミュニケーションは「おもてなし」です。好奇心と尊敬の念をもって相手と向き合えば、つながりは深く強くなっていきます。

人と会って話すと学びが多く、さまざまな知識や情報を得られます。

一見、おとなしくて地味に見える人でも、話していくうちに必ず「へえ～」「知らなかった！」という情報が出てきます。

しょせん私たち1人の世界なんて小さくて狭いものです。

どんな人からも学ぶところがあり、「自分は無知なんだ」という謙虚な姿勢でいると、好奇心をもって相手の話を聞けます。

それが会話を盛り上げ、2人の関係を掘り下げる準備となるのです。

まとめ

- **好奇心をもって話を聞けば、相手に伝わる、相手の気もちが近くなる。**
- **「それ知ってる！」と知識をアピールするより、「知らなかった！」と謙虚な姿勢を。**

32 相手の名前を呼ぶ1秒を怠らない

会話のなかで相手の名前を呼ぶことをおろそかにしていませんか？

私たちは会話のなかで相手に自分の名前を呼んでもらうと、うれしくなります。

2人の関係が近づき、自分のことを尊重してもらえた、認めてもらえた、通じ合えたという気もちになるからです。

私は25年前、日本テレビに入社したばかりの新人アナウンサーだったころ、東京ドームへプロ野球の取材に行きました。

そこで、先輩アナウンサーがミスタージャイアンツ長嶋茂雄さんに「今年、入社した○○、○○、魚住です」と紹介してくれたのです。

その時間は本当にわずかで、目が合ったのも、「よろしくお願いします」と挨拶したのも一瞬でした。

ところが、その1か月後、再び東京ドームへ取材に行くと、私が声をかけるよりも先に長嶋監督から「あ、魚住さん、元気にやっている？」と名前を呼んで挨拶してくださったんです。

感激しました。野球関係者、報道関係者など、毎日何百人と挨拶をする人がいるのに、一瞬しか会っていない新人アナウンサーの名前を覚えていてくださったのです。

世間的に長嶋茂雄さんはフィーリングで生きている人というイメージで語られていますが、私はこの件以来、そう思わなくなりました。

どんな社会的な地位の人であっても名前を覚える努力を怠らない姿勢。**2人の関係を掘り下げていくうえで、相手の名前を呼びかけることはとても重要です。**

たいていの人は、程度の差こそあれ、自分の名前に愛着をもっているからです。

会話のなかで相手の名前を呼ぶことには、次のような効果があります。

- 相手を尊重しているという心理が伝わる

- 相手に好印象や信頼感を与えられる
- あなたの話を聞きたいですよというサインになる

組んでいた腕を急にほどいて相手の話にグッと興味を示す

あなたの話を聞きたいですよ。こちらは聞く態勢に入りましたよ、と。

そういうポジティブなサインをボディランゲージで表すのも有効です。

私の通っているあるクリニックのお医者さんは、こちらがドアをノックして診察室に入っていくと、「どうぞ」と迎えてくれます。

ただ、診察室に入った瞬間はまだパソコンに向かってカルテを書いていたり、腕を組んで画面を見ていたり……。

でも、私が椅子に座ると、くるりとこちらを向き、組んでいた腕をほどき、「どうされました?」と笑顔を見せてくれます。

その間（かん）、ほんの1秒ほどです。

体をこちらに向け、組んでいた腕や脚をほどき、笑顔を見せてくれるだけで、こちらは「あ、ちゃんと私に対してくれているんだな」という気もちになります。

一般的に腕組みは相手を拒絶するポーズだとされていますが、それを解くギャップで親しみが増してしまうという上級者なテクニックです。

まとめ

- **話し中に相手の名前を呼ぶだけで、相手を尊重する姿勢が伝わる。**
- **組んでいた腕をほどいて笑顔を見せるギャップが、心をつかむ。**

33

相手が嬉々として話し出す「教えてください」のひと言

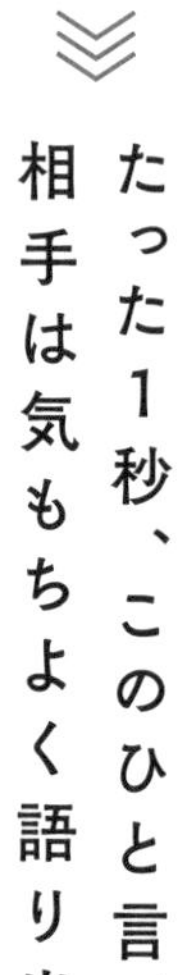

たった1秒、このひと言で相手は気もちよく語り出す

「怖い」と噂されている先輩、口が重い取引先の部長など、ちょっと話しかけづらいなというタイプの人と話すとき、あるいは、専門性の高い話やマニアックな趣味の話が続き、難しくてよくわからないとき、ついついこちらも気が引けて黙ってしまう展開になりがちですよね。

でも、後になって「あのとき、もうちょっと話せていれば」「わからないままにしておかないで聞いておけばよかった」と後悔するのもまた、よくあることです。

そんな話を掘り下げにくいシチュエーションにうまく対処して、なおかつ相手に

「この人は話しやすいな」「気もちいい聞き方をしてくるな」と好印象を残す言い回しがあります。

それは、シンプルに「教えてください」と伝えることです。

どんなに気難しい人でも、自分の知識、経験について話すのはうれしいもの。

それも真摯に「教えてください」と聞いてくる相手に話すのは苦ではありません。教える行為には心地よさがあるからです。

さらに、普段、ちょっと話しかけづらいというイメージで見られている人は、話したいけど、話せていない環境にいると考えられます。

あなたの「教えてください」が呼び水となって、するすると語ってくれるはずです。

その際、注意したいのはただ聞くだけでなく、相手の仕事を思いやったり、褒めたりするのを忘れないこと。

真摯さと熱心さが伝われば、重たい口も滑(なめ)らかに動き出します。

年上の立場になったら、若い人は全員、先生と思うくらいがちょうどいい

逆に自分が年上の立場になり、若手から気難しそうと思われている場合も、「教えてください」は有効です。

私は今、20代、30代の若い世代の人たちがエシカル・スピリッツという会社でＳＤＧｓ（Sustainable Development Goals〈持続可能な開発目標〉の略称）を意識した新時代のアルコール（酒かすなどの廃棄物を原料にしたクラフトジン）をつくるプロジェクトを応援しています。

このプロジェクトに参加しているのは若い世代の人たちが中心です。彼らに対して私がなるべく**心がけているのは、「わからないから、教えてください」**の姿勢。

若者たちからすると、うんと年上のアナウンサーですから、なんとなく気を遣わせている雰囲気も伝わってきます。だからこそ、

「みんなほど今を知らないから、教えてもらえる？」

「SNSの使い方、もっといい方法があったら教えてください」「教わったら、私もできることからがんばりますね」

と教えてほしいということを、言葉で伝えています。

40代、50代、60代と年齢を重ねれば重ねるほど、若い世代には謙虚に接していくことです。

そうすれば、彼らは私たちの世代が知らないことを楽しそうに教えてくれます。

とくに最新のものを知りたいときは、若い人たちに聞いたほうが圧倒的に早い。

全員が先生だと思って接していきましょう。

まとめ

- **気難しそうな人には「教えてください」のひと言で会話を促す。**
- **若い人にも「教えてください」のひと言は効果的。**

34

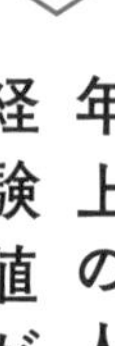

年上の人には「勉強になります」でかわいがられる

年上の人、経験値が高い人が喜ぶひと言

自分より年下の人、経験値が低い人が、こちらの話に熱心に耳を傾けつつ、こんなふうに言って深くうなずいてくれたとしたら、あなたはどんな気もちになりますか？


「勉強になります」

「そういう考え方もあるんですね！」

「感銘を受けました」

自分の話に興味をもってくれて、しかも、褒めながら感謝してくれる。こんな反応に対して嫌な気もちをもつのはほぼ不可能です。

私がこう言われたとしたら、心のどこかで「もち上げられているのかな?」「サービスしてくれている?」「おだてかな?」と思いつつも、確実にうれしさが上回ります。

それは承認欲求が満たされるだけでなく、誰かの役に立ちたいという心理も満たされるからです。

59ページでも「聞くことは、おもてなし」と書きましたが、**聞き手となるときは「誰でも師匠」の気もちになって相手の話に耳を傾けましょう。**

すると、どんな人のどんな話のなかにも、あなたに役立つこと、関心に引っかかるキーワードがあります。

それを受けての「勉強になります」「そういう考え方もあるんですね!」「感銘を受けました」には嘘がありません。とくに年下から年上、初心者から中上級者へのこうした言葉は相手の心に深く刺さります。

ほんの1秒で伝わる、あなたの反応と言葉が話し手を「もっと話そう」という気もちにさせるのです。

無口で職人気質な人が思わず語り出す質問とは？

大事なのは、いいと感じたポイントできちんと反応すること。「この人、いい話をしてくれるな」「さすが経験を積んでいるだけのことがあるな」と思っているのなら、それを言葉にしましょう。

心のなかで深く感心していても発しなければ伝わりません。

こちらの反応を素直に、少し大きめに表現すると、先輩たちの心を動かすことができます。

また、年齢が上で無口な人もいますよね。

黙々と手を動かす職人気質の先輩、世間話に乗ってこない上司など、役立つ経験談、技術論をもっているのになかなか話してくれないタイプの年上の人たちには、仕事に関連する質問をぶつけるのが一番です。

相手の仕事について聞いてみましょう。

・どうして今の仕事に就いたのですか？
・どんなときに喜びを感じますか？
・うまく対処するコツや秘訣はありますか？

など、人は自分が得意としていること、熱心にとり組んでいることについて語りたいものです。

ただ、**無口な人は会話がなくても気にならない人でもあります。**

少々沈黙が続いたとしてもあまり気にせず、待ちましょう。

そのうち「これは！」というエピソードを語り出してくれるはずです。

まとめ

●年上の人、経験値の高い人には「勉強になります」で承認欲求を満たす。
●無口な職人気質の人には、相手の仕事について聞いてみる。

35 「Yes／No」で答えられる質問をしない

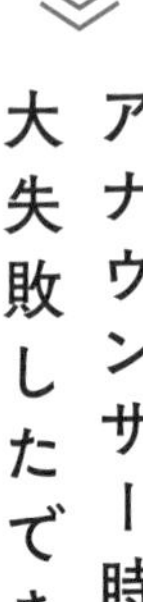

アナウンサー時代、大失敗したできごと

日本テレビのアナウンサー時代を振り返ると、話を掘り下げようとしてしくじってしまった強烈な記憶がいくつかあります。

そのうちの1つを『「Yes／No」で答えられる質問をしない』の反面教師として紹介します。思い出しても「ああ……やっちゃったな」というしょんぼり感がよみがえってきます。

ある年の「24時間テレビ」でのことです。

毎年、著名人が日本武道館を目指して24時間走るマラソンのコーナーがありますよね。私はその中継レポーターとして現場にいました。

24時間で100キロ走るのですが、ランナーは途中で十数回休憩します。そのタイミングでマイクを向け、インタビューし、本人の肉声を生中継に乗せ、スタジオとテレビの向こうの視聴者のみなさんに届けるのがミッションです。

しくじりはゴールを間近に控えた最後の休憩地点で起きました。

魚住　　「疲れていますね？」
ランナー「はい」
魚住　　「左脚も痛いんですよね？」
ランナー「……はい」
魚住　　「痛みがあって脚を引きずっていたんですか？」
ランナー「はい……」

同行していたことでランナーに寄り添う気もちが強くなっていたこともあり、「はい」としか答えようのない私の感想を伝えるような質問からインタビューを始めてしまいました。

すぐにディレクターからは「魚住しゃべるな」「○○さんにしゃべらせろ」というカンペ（演出の指示が書かれた紙）が出ましたが、まだキャリアの浅かった私はオロオロと焦り、立て直せないまま短いインタビュー時間は終了。

自分で先に答えを言ってしまったため、インタビュー相手は「はい」か「いいえ」で答えるしかありません。

すると、話は膨らみようがないのです。

焦っているときほど1秒の間をとって、いい質問を意識する

話を掘り下げ、相手の言葉を引き出したいときは、呼び水となる質問をする必要があります。

先ほどのインタビューの場面なら……

「走っている様子を見ると、脚を引きずっておられるように見えましたが？」

「いつごろから痛みだしたんですか？」
「中盤あたりからかなり汗をかかれていましたね？」

私から見た様子を軸にした聞き方なら、ランナーが今、感じていること、思っていることを言葉にしてくれたはずです。

私たちは焦りを感じる状況ほど、断定的で答えを先に言う質問をしてしまいがちです。ですから、1秒の間をとって冷静さをとり戻し、「Ｙｅｓ／Ｎｏ」で答えられない質問を意識しましょう。

まとめ

- 相手の言葉を引き出したいなら、相手が「Ｙｅｓ／Ｎｏ」で答えられるような質問はしてはいけない。
- 焦ったときほど、１秒の間をとって、冷静さをとり戻し、質問を考える。

36 核心部分のまわりから攻めて言葉を引き出す

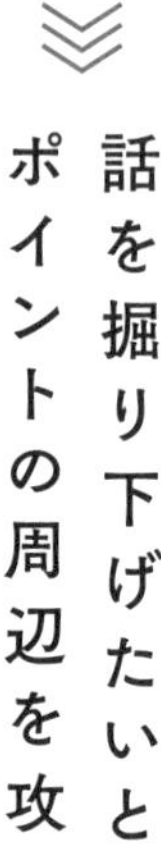

話を掘り下げたいときは、ポイントの周辺を攻める

もう1つ私の失敗談を紹介します。これは話を掘り下げようとして発した質問の1秒後、「これじゃなかった！」と頭を抱えたできごとです。

新曲の発表を控えた国民的大人気バンドのヴォーカリストのTさんのインタビューをする機会がありました。

当然、資料を読み込み、入念に準備をし、当日を迎えたわけですが、冒頭の質問でいきなりこう切り出してしまったのです。

「今回の新曲は、イギリスで録音されたんですよね？」

資料にはイギリスの○○スタジオで録音とありました。バンドとして初めての海外録音ということでニュースバリューもあります。

絶対、Tさんの口からイギリスの話、海外での録音のエピソードを言ってもらいたいという焦りがあったのでしょう。

また、ちゃんと事情を知っていますよとアピールし、信頼してもらいたい気もちもあったと思います。

いずれにしろ、やってはいけない『「Ｙｅｓ／Ｎｏ」で答えられる質問』をしてしまったのです。

核心を知っていても、知らないふりをして聞く

そのときのインタビューはTさんのプロフェッショナルかつ、優しい対応もあり、「今回の新曲は、イギリスで録音されたんですよね？」「はい」だけで終わることなく、

展開していきました。

それでもせめて「今回の新曲は、どちらで録音されたんですか？」「この曲は初めて海外で録音されたと聞きました。どちらのスタジオで？」と切り出していれば、もっと自然な流れで「イギリスで」「ロンドンのスタジオで」と話が広がっていったはずです。

じつはこうした掘り下げの失敗は、インタビューという特殊な対話の場以外でも頻繁に発生しています。

たとえば、重要な会議や打ち合わせ、あるいは勝負のかかったデート中など、事前にしっかり準備を重ねたときほど、私たちはしくじりがちです。

これは会議に出される新企画の狙いや打ち合わせ相手の要望、恋人の好みや欲しいプレゼントなど、キーポイントとなる内容について事前に調べて知ってしまうから。

知っていることを知ってもらいたい。知っているから先回りしてしまう。

自分が褒められたいという意識と、このポイントだけは外せないという緊張感が相まって、決めつけた質問をしてしまいます。

これを避けるには、質問の表現をキーポイントの周辺に広げていくのが有効です。

「イギリスで録音」は「どちらで録音」

「10代の若者を狙った企画なんですよね？」は「どの世代を狙った企画なんですか？」

「マカロン好き？」は「甘いもの好き？」

知っているけど、知らないふりをして周辺を攻めることで、相手は自分の言葉でそのテーマについて話してくれます。

まとめ

- **相手から引き出したい核心部分のまわりから徐々に質問する。**
- **知っていても知らないふりをして周辺から攻める。**

37 上の空の相手には「どう思います？」で集中してもらう

話が途切れたとき、流れをとり戻すコツ

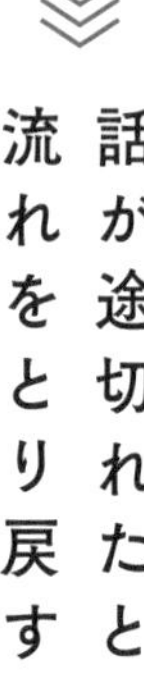

せっかくいい流れで深い話になっていたのに、外的な要因で会話が途切れてしまうことがあります。

- 話の途中で相手がお手洗いに立ってしまった
- 重要な着信があって、「ちょっと大事な電話だから出てもいい？」となった
- 会話の途中で、店員さんが料理をサーブしにやってきて食材の説明を始めた
- 話し手自身が盛り上がりすぎ、話したいエピソードを忘れてしまった

その後、「あれ？ 何の話だったっけ？」となるのはめずらしくありません。

そんなとき大事な1秒テクニックは、流れを引き戻す言葉をかけることです。


「旅先で人を探すことになったんですよね？」

「○○を選んだのが結果的によかったんですね」

「××をやろうと決めて、その後はどうなったんですか？」


こんなふうに話していた内容の最後に出てきた言葉やキーワードを反復すると、「ああ、そうだった」とすぐに話に戻ってもらえます。

相手が話のなかで迷子になったとき、流れをとり戻すコツ

また、相手が自分の話のなかで迷子になってしまっているときは、まとめながら聞き返すのも有効です。

「○○さんが選んだ方法は大きく分けると、3つだったんですね」
「それは具体的に言うとどういうことでしょうか？」
「○○と思われていますが、実際のところどうなんでしょうか？」

ちなみに、自分が話していて迷子になってしまったときは、そのままにせずに「自分で何が言いたいのかわからなくなったので、一度、整理させてください」と切り出しましょう。相手も「この話はどこに向かうのだろう？」と思っているはずなので、素直な告白に安心してくれます。

上の空になった相手の集中をとり戻すコツ

また、外的な要因で離席した後、なかなか元の会話に集中してくれない場合もあります。

そんなときは、事前の会話に出てきたエピソードに関連した質問を用意して、「どう思います？」と相手に会話のボールを投げましょう。

私たちは「どう思う？」というボールをキャッチしてしまった以上、上(うわ)の空ではいられません。

自分の考えを述べるためには、会話の内容に集中する必要があるので、自然とあなたとのコミュニケーションに気もちを戻してくれるはずです。

まとめ

- 中断した会話の流れをとり戻したいなら、前に話していた内容の最後に出てきたキーワードを反復する。
- 相手が話しているなかで迷子になったら、話をまとめながら質問する。
- 上の空になった相手には、「どう思います？」で集中をとり戻してもらう。

38

気づまりな空気を一瞬で変える3つの1秒テクニック

重い雰囲気になったとき、切り替える3つの方法

話すうちに意見が食い違い、重たい雰囲気に。思わぬところから価値観の違いが明らかになって、険悪なムードに。

雑談から会話が広がり、深い話をしていると、ぶつかり合ってしまう場面もやってきます。

そんなとき、**雰囲気を変えるのに役立つ３つの１秒テクニック**があります。

❶高い声×ゆっくりしたトーンで「ところで」と切り替える

1つ目は、**高い声×ゆっくりしたトーンで「ところで」「そういえば」と話を切り替えるという方法**です。

場の空気を変えるのがうまい人は、そこまでの会話とは違う声のトーンを使っています。

重たい雰囲気になってしまっているところに、低い声での「ところで」「そういえば」を入れると、ますます深刻なムードが高まってしまいます。

そこで、低い声ではなく高い声で相手の注意を引きつつ、ゆっくりとしたトーンを心がけましょう。すると、場の雰囲気が穏やかになり、そこから続く次の話題への安心感が演出されます。

❷低い声×ゆっくりしたトーンで「わかります」と同意する

2つ目は、**低い声×ゆっくりでの「わかります」「そうですよね」**です。

価値観の違いや意見の食い違いが明らかになり、「うーん……」と沈黙したとしても相手のことが嫌いになったわけではありません。

「私の価値観とは違うけど、○○さんの言っていることはわかります。そうですよね」
「意見は違うんですけど、その意見が出る理由はわかります。そうですよね」

低い声×ゆっくりの安心感を利用し、違いがあるのはわかったうえで、受け止めているというサインを出しましょう。

すると、相手は言い足りていなかった不満や見解をさらに語り出すか、「わかってくれた」という安堵の言葉を口にするかに分かれます。

いずれにしろ、怒って口を利かないといったコミュニケーションの断絶は起こらなくなり、価値観や意見の違いは受け止め合ったうえで、さらに深い会話を展開していくことができるのです。

❸ 相手のリズムに合わせて、最初のペースをとり戻す

3つ目は、相手の話すリズムに合わせること。

たとえば、気づまりな沈黙が続くなら、無言でのあいづちを返します。

相手が気をとり直すように低い声でゆっくり話し出したら、こちらも早口にならないよう落ち着いて話します。

高い声で速く反論してきたら、さえぎらずに高いトーンであいづちを入れていきます。

そうやって話すリズムを合わせていくと、相手は「この人は自分と近い人間だ」「自分に合わせてくれる」という思いが芽生え、反発心が解けて徐々に元のトーンでしゃべってくれるようになります。

相手の気もちがほどけてきたら、にこやかにうなずきながら黙って聞き、1エピソード話し終わったタイミングであいづちと感想を伝え、別の質問を投げかけましょう。

気づまりな雰囲気を乗り越えて、より深い話を続けることができます。

まとめ

●高い声×ゆっくりしたトーンで「ところで」「そういえば」と話を切り替えて空気を変える。

●相手の重たい態度には、低い声×ゆっくりしたトーンで「わかります」と同意する。

●相手の話すリズムに合わせてあいづちを打つ。

第6章

恋愛の1秒

気になる存在にさせる

「わかる！」「大変だよね」共感の言葉がモテの鉄則

モテる人は、相手の話への共感を素直に表現している

私は取材などで「モテる人はどんな人？」と聞かれたら、共感力が高い人と答えています。

- 会話の最中、相手がしてほしいと思っているリアクションを返してくれる人
- 共感している感情を素直に言葉で表している人
- 相手の話をさえぎらず、受け止めながら聞いてくれる人

そんなコミュニケーションのとり方ができる人は、本当にモテます。

うなずきとあいづちで共感は表現できる

しかも、共感の表現方法はさほど難しくはありません。

基本は、相手の顔を見て、話をさえぎらずに、うなずくこと。話すことと聞くことは2つでワンセットです。あなたが話すだけでも、聞くだけでもモテるコミュニケーションとは言えません。

デート中の会話は自分3：相手7の割合をイメージし、相手が楽しそうに話しているあいだは黙ってうなずいてあげれば大丈夫。恐らくこれが一番、簡単なモテるコミュニケーションのとり方です。

ただ、うなずき方にもコツがあります。それはあいづちを簡単に打たないこと。「うん、うん」「はい、はい」ではなく、センテンスで返すのが相手の望むリアクションになります。

ここで言うセンテンスとは、「わかる！　それ！」といった短い共感の言葉。人は自分に共感してくれる人、気もちに寄り添ってくれる人、的を射た質問を返してくれる人に好意を抱きます。

ですから、相手の話が途切れたところで上手に「同じ経験したことがあるけど、大変だよね」「その後、どうしたの?」といったセンテンスであいづちを打ちましょう。

これは話し手からすると、聞き手の共感を実感できる、とても気もちのいいリアクション。これがモテる人のコミュニケーションの極意です。

まとめ

- ●共感していることを表現できる人がモテる。
- ●デート中の会話は自分3:相手7の割合で。
- ●「うなずきと短い共感の言葉=いいリアクション」が好感度を上げる。

40 1秒で魅力が伝わるモテる声

自分に合った「モテ声」をつくる方法

声は言ってみれば洋服みたいなもの。出会った後のあなたの印象を左右します。ですから、「ステキな声のほうがモテる」と言えるでしょう。

でも、「この声ならモテる！」という絶対的なモテ声はありません。

大事なのは、ここでも声の高さと話すスピードの組み合わせ。この2つと本人のキャラクターがうまく合っていると魅力的に映ります。

たとえば、「高い声×速い」の組み合わせで話すと、元気いっぱいの若々しいイメージになります。**高い声で声量が十分なら、エネルギッシュなイメージ**も伴います。

わかりやすくタレントさんを例にすると、明石家さんまさん、浜田雅功さん、アンミカさんなどが当てはまります。

一方、低い声は落ち着いた雰囲気です。ゆっくり話せば、信頼できるイメージになります。速く話せばクールで頭脳明晰、仕事のできる人に映ります。前者は福山雅治さん、吉田羊さん、後者は戸田恵梨香さん、竹野内豊さんがそのタイプ。

ただ、大事なのは、声の高さと話すスピードがその人のキャラクターに合っていること。浜田さんが低い声でゆっくりツッコミを入れたり、福山さんが高い声で早口で話す人だったら、おそらく今とは見え方が変わってくると思います。

洋服もそうですが、本人のキャラクターに合ったものを上手に着こなせば、魅力が増し、似合わない服はどんな高級ブランドでも「何か違う」印象を与えます。

ゆっくり丁寧に話すと、優しさ・誠実さが強調される

優しさと誠実さ。この2つは日本だけでなく、世界各国で行われた「恋人に求める性格」の調査で必ず上位に入っています。

それを声で満たすには、ゆっくり話すこと。早口でしゃべってはいけません。ゆっくり丁寧に話すと、その落ち着きが相手に優しさや誠実さの表れとして伝わり、心地よく感じてもらえるはずです。

ゆっくり丁寧に話すコツは、言葉を頭のなかに文字で思い浮かべること。「ゆ・っ・く・り・と」「て・い・ね・い・に」と頭のなかで書くようなイメージです。

その際、語尾まで意識して発声することに注意しましょう。ゆっくり話すと、だんだんと声が小さくなる傾向があります。語尾が消え入るような話し方は優しさよりも頼りなさが強調されてマイナスです。

まとめ

- **声の高さと話すスピードを自分のキャラクターに合わせる。**
- **誠実で優しい印象を与えたいなら、ゆっくり丁寧に話す。**

恋愛

41 長く見つめて相手が気づいたら1秒以内にそっと目をそらす

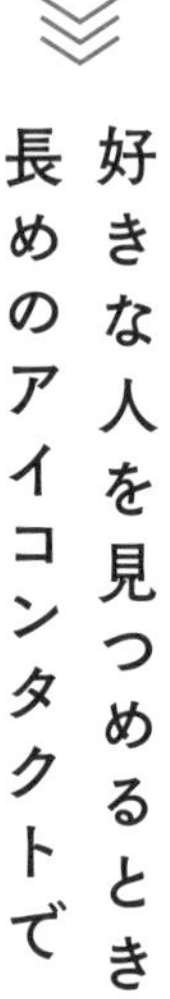

コロナ禍では難しくなってしまいましたが、友だちの集まる飲み会やパーティ、合コン、職場での忘年会や謝恩会など、親しい人の集まるガヤガヤとした席。そこに気になっている人、好きな人が参加していて、それが恋のきっかけに……という展開はいつの時代も変わりません。きっと、コロナが収まれば、出会いの場のにぎやかさもまた復活するはずです。

初デートもまだの段階で、気になる人、好きな人にあなたの存在を意識してもらうには、アイコンタクトと笑顔を意識的に使っていきましょう。

ひと目惚れを科学的に分析した研究よると、「ひと目惚れをした側」は無意識のうちに相手の目を5秒から7秒間見つめているそうです。

通常、私たちの自然なアイコンタクトの長さは、1～1・5秒程度とされています。あなたも家族や友だちを相手に試してみるとすぐわかりますが、5秒はかなりの長さ。たとえ3秒間でも人と目を合わせ続けると、そこには何か深い意図があるような感覚になります。

ですから、5秒から7秒のアイコンタクトはある意味、不自然な行動です。実行に移すには勇気が必要でしょう。

でも、相手を意識しているぶん、目を合わせることもできず、うまく話しもできないまま一緒にいる時間が過ぎ、印象に残らないという結果になってしまうより、はるかに意味のあることだと思いませんか？

もちろん、いつも5秒以上じっと目と目を合わせる必要があるわけではありません。会食や合コンなどで、気になる人、好きな人が別のテーブルで誰かと話しているとき、じっと見つめてみましょう。そして、**相手があなたの視線に気づいたら、微笑み、**

1秒以内にそっと目をそらします。

大事なのは相手にあなたの存在を意識してもらうこと。見つめて、微笑み、「感じのいい人がいるな」と思ってもらえれば、成功です。

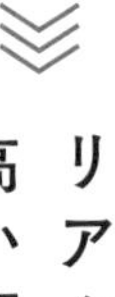

リアクションは、高い声×ゆっくり＋笑顔で

気になる人、好きな人と近くの席になり、話しをするときは**普段よりも大きく、「高い声×ゆっくり」でのリアクションを意識**しましょう。

「そうなんですね」「大変でしたねー」「よかったですね！」と共感のあいづちを中心に。なぜかというと、私たちは共感を素直に表してくれる人に惹かれるからです。

また、**相手の話をさえぎらないあいづち中心のリアクションは、「この話題に興味があります＝あなたに興味があります」というサイン**にもなります。

そこに、ふわっとした雰囲気、優しい空気感をつくり出す「高い声×ゆっくり」をプラスすることで、今度はあなたがその他大勢から相手の気になる人にステップアップしていくはずです。

アイコンタクトからの1秒で注意を引き、共感を示す話し方で相手にとって気になる存在に。この流れ、試してみてください。

まとめ

- 長めのアイコンタクトで相手に印象を与える。
- 目が合ったら微笑んで1秒以内にそっと目をそらす。
- いつもより高めのゆっくりした声で相手に共感を示す。

恋愛

42

会話の途中で身を乗り出す

身体ごと聞くと、相手は語り出したい気もちになっていく

「この人になら、話しちゃおうかな」
「話していて、気もちがいいな」

会話の途中で相手がそんなふうに思ってしまう、1秒でできる好感度の高め方があります。

それは**「話しをしながら心と身体をしっかりと相手に向けること」**です。

ここで言う「心を向ける」というのは、相手の話を聞きながら質問すること。

事前に用意した質問ではなく、その場の会話のなかで出てきた相手の言葉に反応して話を掘り下げていきましょう。

「え！　そんなことがあったんですか！　それで、どうなったの？」

「あー、そういうふうに考えるんですね。新鮮。もっと聞かせてください」

そのとき、**身体を話している相手に向け、少し前のめりに**。

身振り手振りで驚きや興味を表現しながら、続きを促します。

「話しをしながら心と身体をしっかりと相手に向けること」が本当に上手だなと最近、気がついたのは、とんねるずの石橋貴明さんです。

難しい言い回しや特別な言葉はいりません

昨年開設されたYouTubeの「貴ちゃんねるず」では、飲食店を経営されている一般の方々、年下の芸人さんたちとコミュニケーションをとる貴さんの姿が映し出されます。

セットがあり、照明があるテレビのスタジオとは異なるロケ先での、アドリブでのやりとり。

そこで、貴さんが見せるのは**「聞いて、聞き出して、驚き、おもしろがり、興味をもって質問する」という見事な話の受け方**です。

「なんで、そうなったの？　どんなこだわりがあるの？」

「そうやって悩んじゃうのか……なるほどね。それから、どうしたの？」

難しい言い回しや特別な言葉を使っているわけではありません。ただただ真剣に相手の話を聞き、興味をもったポイントを強調して聞き返しているだけです。

でも、その姿勢が伝わるうちに、今度は相手が貴さんのほうに身体を向け、前のめりに語り出します。

身体ごと聞くと話し手の心が開き、心から出た質問によって語りたい気もちにさせるのです。

まとめ

- 身体を話している相手に向け、少し前のめりになって聞く。
- 聞いて、驚き、おもしろがり、興味をもって質問する。

恋愛

43

相手を傷つけることなく断る1秒ワザ

相手からの誘いを断りたいときは、すぐにキッパリ

「この人はちょっと……」という相手から誘われたとき、キッパリ断るのがお互いのためです。

優しい人ほど、「悪い人だと思われたくないな」「相手を傷つけたくないな」とやんわり、ふんわり、察してくださいというふうに「お誘いありがとうございます。その日はちょっと用事がありまして、また次回よろしくお願いします」と笑顔でごまかしがち。

もちろん、「お誘いありがとうございます。その日はちょっと用事がありまして、

また次回よろしくお願いします」を繰り返すうち、相手が「次回はないんだな」と気づいて諦めてくれることもあります。

でも、どう断るか悩んで、躊躇して、リアクションが遅くなるよりも、すぐに反応したほうが受けとった側も「こちらのことを考えてくれたのかな」となりますし、断る側のストレスも少なく済みます。

断る理由を、明るく爽やかな声のトーンで伝える

会話の途中で急に「この後、食事でもどうですか？」と誘われた場合も同じです。「えーと……」とスケジュールを確認するよりも、「これからジムがあるので、今日はごめんなさい。残念です。また誘ってくださいね」などと返しましょう。

このとき、**「予定があるので……」**と伝えるよりも、**「ジムが」「仕事が」「友人と約束が」**など、**具体的な理由を入れて断るほうが悪い印象になりません。**

そして、声は明るくやわらかいイメージになる「高い声×ゆっくり」で。表情も口角を上げて、爽やかに。**断るという行為とは逆の明るく爽やかな伝え方をすることで、**

視覚的にも好印象が残ります。

断られる側からすると「行けません」という残念な内容なのですが、目には笑顔、耳からは明るいトーンの声が入ってきます。すると、メラビアンの法則で話す内容よりも目で見ているもの、耳で聞いている声の印象が強くなるのです。

まとめると、苦手な人からの誘いに対しては、すぐに、キッパリ、理由を入れて、明るく爽やかに断りましょう。

まとめ

●断るときは、すぐにキッパリ、明るく爽やかに、具体的な理由を伝えて断る。

44

また会いたいと思わせる「さよなら」の後の余韻の1秒

デートで大事なのは、別れ際の最後の1秒

初デートの待ち合わせの場に着いたとき、あなたはどんな表情を浮かべますか？

第一印象を左右する大事な瞬間に見せるべき正解は、笑顔です。出会い頭の1秒の笑顔。それだけで相手はあなたに好印象をもち、楽しいデートを予感します。

では、デートが終わり、別れるとき、どんな表情を浮かべるべきでしょうか？

さみしさいっぱいの切ない表情、残念そうな表情もいいですが、**やっぱり「さよなら」の1秒も笑顔がステキ**です。

「今日はすごく楽しかったです。ありがとうございました」
「ちょっと遅くなっちゃったけど、気をつけて帰ってね」
「また、誘ってくださいね」

感謝や気遣いの言葉とともに笑顔を見せて「さよなら」することで、相手の心に「いい1日だったな」「すごくいい人だな」という余韻が残ります。

これは講演などのトークにも共通したことですが、人の記憶に強く残るのは始まりと終わり。とくに終わりをしっかりすると、「おもしろい講演だった」と思ってもらえることが多いです。締めくくりがよければ、「今日はいい話を聞けた」という感想に。

デートでも別れ際に残す余韻が、その後の2人の関係に大きな影響を与えます。相手に残したいあなたのイメージを想像して、最高の笑顔で「さよなら」してください。

まとめ

●感謝の言葉とともに最高の笑顔を見せて「さよなら」する。

第7章

オンラインの1秒

きちんと伝わる・場が盛り上がる

45 映って1秒で好印象を与えるテクニック

オンラインだからこその準備が、映って1秒の印象を変える

コロナ禍によってリモートワークが新しい働き方として定着しつつあります。

私もオンラインでのイベントの司会、講演、研修といったお仕事をさせていただく機会が増え、同時にさまざまなアプリを使ったリモートでの打ち合わせ、会議に参加するのにも慣れてきました。

ただ、世代としては技術的にも対面が当たり前のビジネスシーンで働いてきた期間が圧倒的に長く、まだまだ不慣れな点も多々あります。

同じように40代、50代のビジネスパーソンの方々からは、ふとしたときにこんな悩

みを聞きます。

「直接、顔を合わせなくなってから、部下が何を考えているのか、ますますわからなくなりました」

「ウェブ会議で映像をオフにして、音声もミュートにする若手が増えていて、伝わっているのかどうか不安。また、若手からの発言も少なくなった気がします」

「スタッフとの雑談の時間が激減して、うまくコミュニケーションがとれているのかどうか……」

オンラインでの打ち合わせ、会議、商談でのやりとりには映像と音声こそあるものの、相手の佇まいや雰囲気が欠けています。

そのぶん、**事前の準備を怠ると、画面を通して意図しない形であなたの印象が伝わってしまう可能性がある**のです。

たとえば、照明不足で画面全体が暗いまま打ち合わせに参加すると、どれだけ明るく挨拶をしても重たい印象が残ります。あるいは、カメラの設置位置が低く、顔を下から煽（あお）るような画角（がかく）のまま挨拶すると、どうしても上から目線でやや高圧的な印象を与えてしまいます。

対面でのミーティングの前にちょっと鏡を見て、前髪を整えたり、メイクを直したり、ネクタイをチェックしたりするように、オンラインでつながる前に自分の画面映りを確認しましょう。

そのワンステップを挟むだけで、映って1秒のあなたの印象がアップします。

オンラインで第一印象をよくする3つのポイント

オンラインで第一印象を好印象にするには、話し方や聞き方の前に「いい佇まい」で映ることが重要です。ポイントは、3つあります。

1 顔の明るさ（照明）を調整する

オンラインでは環境によって、顔が影になり、映りが悪くなります。照明で顔に光が当たるよう工夫しましょう。**スタンドライト、リングライト、ブックライトなどを**

使う、もしくは窓に向かって座ると自然光が当たります。

表情が明るく見えると、それだけで好印象です。

❷ 映り方（カメラ位置）を調整する

ノートパソコンに備えつけのカメラをそのまま使うと、どうしても煽り気味になり、印象が悪くなります。**カメラのレンズが顔の位置よりも少し高くなるようセットしましょう。**それだけで、すっきり、スマートな印象になります。

また、カメラとの距離も重要です。

顔だけ映るのは近すぎ、腰から上ですと遠すぎます。**胸から上が画面に入るよう調整しましょう。これは相手との適切な心理的距離をつくり出すためです。**

❸ にこやかな表情がデフォルト

画面を通すと、どうしても表情や感情が伝わりにくくなります。黙っているだけなのに、しかめっ面のように見えたり、微笑ましく思っているのにそれが伝わらずに若手が萎縮してしまったり……。

いつも以上に表情を豊かにする意識をもって、口角を上げ、にこやかに。場の雰囲気が明るくなり、話しやすくなります。

❹ ワイプで抜かれるイメージをもつ

ワイプとは、画面の隅に別の画面を重ねること。

テレビの情報番組やバラエティ番組で主画面の隅に別の小さな画面が窓のように出て、スタジオにいるタレントやコメンテーターの表情を映し出すのを目にしたことがあると思います。

主画面で起きるできごとに対して表情豊かにリアクションすることを芸人さんたちは、「ワイプ芸」と呼んでいますが、**オンラインの会議**

に映像つきでログインしているときは映っている自分を意識しましょう。

つくり笑いを張りつけたような表情にする必要はありませんが、**大きくうなずく、顔の前で手を叩く、グッドサインを出す、笑顔で聞くなどのリアクションは話し手を勇気づけます。**

打ち合わせや会議にログインする前に、画面に映った自分の姿が4つのポイントをクリアしているかどうかチェックしましょう。

まとめ

- **オンラインでは事前に準備するだけで好感度を大きく上げられる。**
- **オンラインはテレビの出演者のようにワイプで抜かれるイメージをもつ。**

46 オンラインで映える声のつくり方

対面で得られる実感のなさを「声の質」で補う

オンラインでの会議や打ち合わせをしていて、こんな感覚に悩んだことはありませんか？

- 自分が話しているとき、みんなが真剣に聞いてくれていないように感じる
- 上司が話していても、本当に重要な部分以外はすぐに集中して聞けなくなってしまう
- 全体会議での全員への連絡のような話はとくに頭に入ってこない

たとえば、上司とオフィスの一角の談話スペースで向き合って話しているとき、ボーッとしてしまうことはまずありませんよね。また、あなたがミーティングで話しているとき、会議室にいるメンバーが聞いてくれているかどうかは、顔を見ればだいたい把握できます。

でも、オンラインでは対面では得られる実感がなくなります。結果、何か違うという手応えのなさに悩まされてしまうのです。この感覚を解消するには、オンラインでの会議、打ち合わせの回数を重ね、慣れていくしかありません。

ただ、今日からすぐに実践できる対処法があります。それは**お互いに「声」の質を意識すること**です。

オンラインでの違和感を減らす「声」になる3つのポイント

オンラインで映える「声」の質をつくるには、3つのポイントがあります。

❶メリハリを意識する

「自分の話を聞いてもらえていない気がする」という感覚の対処法となるのが、話し方にメリハリをつけることです。

話の冒頭は高めの声で話し始める。しっかり伝えたい部分は、ゆっくりはっきり話す。強調したいポイントの前で1秒の間を置き、キーワードは気もちを込めて強く発音する。

こんなふうに普段話すときよりもメリハリを意識して発言しましょう。すると、聞き手の集中力が持続します。

❷「声のトーン」を変えてみる

オンラインではあなたの声も、相手の声も、マイクに拾われ、パソコンなどのスピーカーを通した機械的な声に変換されます。機械を通した声は、微細なトーンや気もちの変化を伝えるのが苦手です。

聞き手にとってストレスのある状況で、「力んだ大声が続く」「ずっとハイテンション」「早口でまくしたてる」という話し方はNG。聞き手が疲れてしまいます。

対面のときは、声量は大きく保つべきですが、イヤホンマイクなどを使う場合は声をよく拾うので、力んで話さないように注意しましょう。

あなたの声や話し方によって、次の点を意識してみてください。

大声の人は……リラックスして、普段より抑えめの声量で
甲高い声の人は……落ち着いて少しトーンを下げて
早口の人は……一音一音、丁寧に発音する気もちで

❸「1文を短く」して「語尾をはっきり」言い切る

対面の会議や打ち合わせなら、「〜なので、」「〜なんですが、」「〜ですけど……」と読点でつなぐような話し方をしても、相手は「続きがあるんだな」と聞く準備をしてくれます。

でも、集中しづらいオンラインでは、1文が長い話し方は伝わりにくくなります。1文を短くまとめ、歯切れがいい発言を心がけましょう。

また、オンラインでは対面より、より語尾が聞きとりにくい状況になる可能性もあります。「〜です。」「〜ます。」「〜ですよね。」など、**「語尾まではっきり発音し、言い切る」ように。**歯切れが悪いと、自信のない印象になりますので気をつけましょう。

お互いが聞き手になったときのことを想像しながら、「声」の質を意識すると、オンラインならではの違和感が減っていきます。

まとめ

- **オンラインでは声にメリハリをつけ、声のトーンを意識する。**
- **1文を短めにし、語尾を言い切ると、より伝わりやすい話し方に。**

47

身振り手振りをいつもより1・5倍オーバーにする

≫ オンラインでは身振り手振りはオーバーなくらいがちょうどいい

参加者の多いオンラインでの会議、打ち合わせになればなるほど、意識したいのがリアクションです。

身振り手振り、表情は、少しやりすぎかなくらいでOK。いつものあなたの1・5倍を意識しましょう。

94ページで紹介した「メラビアンの法則」を思い出してください。私たちは「声のトーン（聴覚）」と「身体言語（ボディランゲージ）（視覚）」という非言語コミュニケーションに大きな影響を受けます。

これはもちろん、オンラインでも変わりません。ところが、重要にもかかわらず非言語コミュニケーションが伝わりにくいのもオンラインの特徴です。

たとえば、対面の会議や打ち合わせなら、「あ、あの人は言葉では『イエス』と言っているけど、表情が暗いし、うつむき加減だし、どこか納得していないな、本当はノーなんだな」と気づくことができます。

でも、画面越しになるオンラインの会議では、後ろ向きの「イエス」もイエスのまま伝わったり、前向きな「イエス」の前向き感が伝わらなかったり、といった齟齬が生じてしまいます。

だからこそ、1人ひとりが身振り手振りなどの非言語情報の大きさを意識する必要があるのです。基本は、いつもより1・5倍オーバーに。

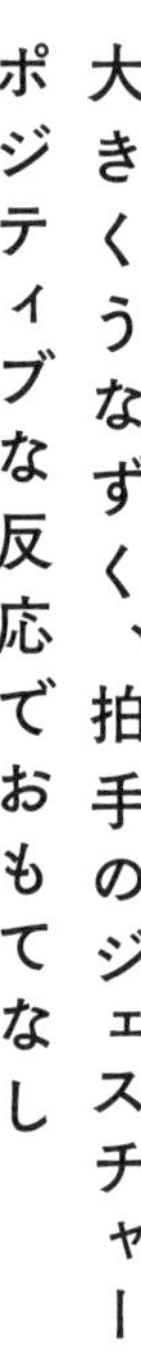

大きくうなずく、拍手のジェスチャー、ポジティブな反応でおもてなし

身振り手振りでまず心がけたいのは、「大きくうなずくこと」です。

話し手となっている人に対して、「あなたの話をしっかりと聞いていています」というサインであり、それを確認した話し手は安心し、自信をもって話すことができます。

そして、これはいい意見、優れたアイデアだなと感じたら、拍手のジェスチャーをしたり、手でOKのサインを出したり、**身振り手振りで「聞いているよ」「いいね」という反応を届けましょう。**

人間は本能的に動くものに意識を向けるので、話し手は敏感にこうしたサインに気づきます。

オンラインでの会議、打ち合わせではポジティブな反応を伝える身振り手振りが、相手への「おもてなし」となるのです。

オンラインほど笑顔が重要なワケ

また、対面での打ち合わせや会議では書類に目をやったり、メモをしたりして、目を合わせる瞬間はほんの数回程度だったかと思います。しかしオンラインでは、基本的に胸より上がつねに画面に映っています。

顔と顔で対話をしなければならないため、笑顔が大切。口角を上げた自然な笑顔は、

好意的に聞いていますよ……という非言語のメッセージとなります。

もし、ビデオを切って参加するなら、各ツールについているコミュニケーション機能を活用するといいでしょう。

「いいね！」「拍手」を表現するアイコンを表示する、チャット機能に「いいアイデアですね」「おもしろい」といった簡潔で前向きな感想を書き込む。

そんなふうにして、画面の向こうに伝わりにくい非言語のメッセージをはっきりと表現していきましょう。

まとめ

- オンラインでは少しやりすぎかなと思うくらいオーバーにリアクションする。
- 笑顔、拍手……で、対面での打ち合わせ以上にポジティブな反応を伝える。

48

会議を活発にさせる「冒頭のひと言」

最初に「心理的安全性」を宣言して、活発な意見の場への舵を切る

時代のキーワードの１つになりつつある「心理的安全性」は、「サイコロジカル・セーフティ（psychological safety）」を日本語訳した言葉です。

解釈はいくつかありますが、オンラインでの会議や打ち合わせに当てはめて捉えると、「このコミュニティでは自分の思ったことを自由に発言しても、不利益を被らないと感じられる状態」を意味しています。

「安心して自由にあれこれ言える雰囲気があるかどうか」とも言えるでしょう。

実際、企業の協力を得てビジネスシーンを観察した心理学の研究によると、**「心理**

的安全性」が担保された会議では参加者の発言量が増える傾向にあり、逆の場合では「話さずに黙っていたほうが安全だ」と感じるため、発言しない人が多くなることがわかっています。

対面の会議ではあなたが意見を言ったとき、向かいの席でうなずいて擁護してくれる仲間がいて、安心感を得られます。

でも、画面越しではそうした仲間の反応は感じとりにくく、「ヘンなことを言ったかな」「浮いているかな」という不安感や孤立感が高まりやすくなります。

つまり、オンラインでの会議、打ち合わせにこそ、「安心して自由にあれこれ言える雰囲気」が求められているのです。

アサーティブなコミュニケーションを心がける

そこで、あなたが会議の主催者、打ち合わせのホスト役になるときは冒頭、「心理的安全性」を担保していることを宣言するよう心がけましょう。

具体的な次のような言葉が、「安心して自由にあれこれ言える雰囲気」をつくり出します。

「最初の5分間はビデオをオンにして、雑談しましょう。最近あったいいこと、新しく知ったことなどを報告し合いませんか？」（ポジティブな話題になりやすいテーマ設定の雑談を通じてアイスブレークすることで、誰もが話しやすい雰囲気をつくっていく）

「今日の主なテーマは○○です。まずはAさんから調査の報告をしてもらい、それぞれ感想を述べた後で、問題点を整理して、議論していきましょう」（会議の流れも明確にすることで、話し手、聞き手が役割を自覚し、話しやすい状態をつくる）

「本題に入る前に、今日の議題になっている企画について、いいなと思っているポイントを1人1つずつ挙げていきませんか？」（共通の話題について、別の角度から話すことで1人ひとりのキャラクターが浮き彫りに。親近感が増し、話しやすい雰囲気ができあがる）

意識していきたいのは、相互尊重型のアサーティブなコミュニケーション。

・相手と自分は対等であるというスタンスで参加する

・オープンで、穏やかな気もちで話す
・ポジティブな表現を多く使う
・傾聴を心がける
・忖度（そんたく）のない合意形成に向かう

この5つのポイントを大切にしながら話し、聞いていくと、オンライン上でも、参加者誰もが安心して発言できる場ができあがっていきます。

まとめ

●冒頭のひと言で、誰もが安心して発言できる雰囲気をつくり出す。
●お互いの意見を尊重し、ポジティブな表現でオープンに話し合う。

49 会議の雰囲気を1秒で変える「確認の問いかけ」

ファシリテーターのこのひと言で、たくさんの意見が集まり出す

「上司が一方的にしゃべり続けて、時間になり、終わってしまう」

「全体会議で役員が言いたいことを言っていて、若手はビデオをオフに。意見交換の場にならず、終わった後、若手がチャットでぼやき合っていた」

「企画案を出し合うはずのミーティングで、A案を推す社員とB案を推す社員が衝突。ファシリテーターは右往左往するだけで、討論みたいになってしまい、ほかの参加者からすると耐えるだけの時間に」

活発なディスカッションが行われる会議を目指していたのに、うまくいかない。オンラインでのコミュニケーションの難しさについて、企業で働く方々から相談を受けるケースが増えています。

幹部クラスの方々は「自分が話し始めると、まわりが意見を言わなくなって、何を考えているかわからなくて困る」と悩み、ファシリテーターを務めることが多い30代のビジネスパーソンの方々は「うまく橋渡しができなくて、特定の人が話す場になってしまう」と困っています。

リアルの場と違って空気が読みにくいぶん、オンラインの会議では上の立場の人の話をさえぎりにくく、声の大きな人の主張が通りやすくなりがちです。

だからこそ、参加者がアサーティブなコミュニケーションを意識する必要があるわけですが、それを全員に浸透させるのは難事業。

そこで、**私はファシリテーター役となる人が頻繁に「確認の問いかけ」をするようアドバイス**しています。

ファシリテーター役となった人は観察眼を働かせ、参加者の様子を見守っていきましょう。

- 会議の流れを止めてしまうことを恐れて発言できずにいる参加者はいないか？
- 議題についてよく理解できていない人はいないか？
- 発言者が偏っていることにもやもやしている人はいないか？

気づいたら、すばやく「確認の問いかけ」を挟み込みます。
話し手の話の区切りや息つぎの際に、すっと1秒、次のように質問しましょう。

「ここまでみなさん大丈夫でしょうか？」と理解の確認
「○○さん、質問ありますか？」と不明点の確認
「○○さん、どう思いますか？」と相手の考えの確認

適宜、「確認の問いかけ」を入れることで参加者の心に安心と信頼を与えるのです。

まとめ

●ファシリテーターの「確認の問いかけ」がいい会議をつくる。

おわりに

最後まで読んでいただき、ありがとうございました。

初対面の1秒、再会後の1秒、日常での1秒。ほんの一瞬で受けた印象、与えた印象から、私たちの人間関係は大きく変わっていきます。そして、ここまで好印象を生む「1秒」のコツをさまざまな角度から紹介してきました。

すぐに「実行できる」と試したくなったもの、タイミングを見て「やってみよう！」と感じられたもの、「少し練習してから」と思ったもの。受け止め方はそれぞれだと思いますが、あなたなりの「1秒」を思い描けるようになったのではないでしょうか。

そして、「この人と話していると楽しいな」「この人、なんかいいな」と。周囲の人にそんなふうに感じてもらえるようになったら、その好印象を長く続くつながりへと育んでいきたいものです。

というのも大きな枠組みの話となりますが、日本もこれから働き方、生き方が本格的に変わっていくはずです。終身雇用のなかで1つの会社、1つのコミュニティだけで仕事を続けていく人は、少なくなっていく流れがあります。

転職、独立、本業と副業、ダブルワーク、多拠点生活やボランティア活動など、職場の私、プライベートの私だけではない、私の広がりを1人ひとりが実感する世のなかになっていきます。そのとき、改めて高まっていくのが個人として1人ひとりとつながっていくことの重要性です。

出会った相手に好印象を抱いてもらえれば、あなたのいる場所、いたい場所で自然と気の合う仲間が増えていきます。実際、私もアナウンサーとして1秒の大切さを実感し、20代、30代、40代と紡いできた多くの人たちとのつながりが、独立してから日々の大切な支えとなっています。

1秒でつながった絆を長く確かなものに育んでいくには、互いを尊重し、違いを受け入れることが重要です。たとえば、日々のやりとりのなかで周囲の人や家族の示す価値観に「あれ?」と違和感を覚えることがあります。でも、そこで頭から否定したり、論破しようとしたりするのではなく、ほんの1秒「あ、そういう考え方もあるよね」と受け入れる言葉をつぶやいてみましょう。

もちろん、相手の考えや価値観を全面的に認め、受け入れる必要はありません。私には私の、あなたにはあなたの大事にしている考えや価値観があります。

ですから、1秒の好印象でつながった相手とも、その後にぶつかり合ったり、距離ができたりすることも起きるでしょう。でも、悲観しないでください。そのとき、2人のつながりを支えてくれるのが、多様性の尊重です。

自分の考え、価値観を大事にするからこそ、相手の言葉にも耳を傾け、それぞれの考え、価値観も認め合うこと。多様性の尊重が長く続くつながりを支え、あなたの人生を豊かに彩ってくれます。

私はこの本の原稿をまとめながら、父のことを思い出していました。

それはまだ学生だったころ、「話すこと、聞くことの大切さ」「声で印象が決まること」「お互いを尊重することの意味」を教えてくれたのが、父だったからです。

脳神経外科の医師だった父は患者さんの話に根気強く耳を傾ける人で、診察室の前にはいつも順番を待つ患者さんの列ができていました。それは1人ひとりの話にしっかりと耳を傾けていたからです。

あるとき、「頭痛がするのは脳腫瘍ができているからだ」と思い込んでしまっている年配の女性の患者さんがやってきました。検査の結果、脳腫瘍が原因ではないとわかっています。

「精神的なものですよ」と切り上げることもできたでしょう。でも、父は1時間以上、その方の話を聞き、「腫瘍が治る薬を出しますからね。もう大丈夫ですよ」と言って、ビタミン剤を処方。その後、すっかり具合がよくなってしまったそうです。

これは「この人は信頼できる」という好印象があってこそのできごとだったと思います。私はこのエピソードを聞いたとき、話をしっかり受け止めるだけで患者さんの痛みや苦しみを軽くすることができるのだと知りました。

そして、その効能は診察室だけに限られたものではありません。相手の話をしっかり受け止め、質問して、さらに聞いていくことで人間関係は必ずよくなります。

生きていくうえでとても大切なことを教えてくれた父は、この本の完成を楽しみにしながら亡くなりました。

『1秒で心をつかめ。』には私が父から学んだこと、アナウンサー、ボイス・スピーチトレーナーとして積み重ねた経験をすべて詰め込みました。この本があなたの悩みを解きほぐす一助になれば幸いです。

2021年9月　　魚住りえ

著者略歴

魚住りえ（うおずみ・りえ）

フリーアナウンサー。ボイス・スピーチデザイナー。大阪府生まれ、広島県育ち。1995年、慶応義塾大学卒業後、日本テレビにアナウンサーとして入社。報道、バラエティー、情報番組などジャンルを問わず幅広く活躍。代表作に『所さんの目がテン!』『ジパングあさ6』（司会）、『京都 心の都へ』（ナレーション）などがある。2004年に独立し、フリーアナウンサーとして芸能活動をスタート。とくに各界で成功を収めた人物を追うドキュメンタリー番組『ソロモン流』（テレビ東京系列）では放送開始から10年間ナレーターをつとめ、およそ500本の作品に携わった。各局のテレビ番組、CMのナレーションも数多く担当し、その温かく、心に響く語り口には多くのファンがいる。また、およそ30年にわたるアナウンスメント技術を活かした「魚住式スピーチメソッド」を確立し、現在はボイスデザイナー・スピーチデザイナーとしても活躍中。声の質を改善し、あがり症を軽減し、相手の心に響く「音声表現」を教える独自のレッスン法が口コミで広がり、「説得力のある話し方が身につく」と営業職、弁護士、医師、会社経営者など、男女問わず、さまざまな職種の生徒が通う人気レッスンとなっている。著書に『たった1日で声まで良くなる話し方の教科書』『たった1分で会話が弾み、印象まで良くなる聞く力の教科書』（東洋経済新報社）などがある。

1秒（びょう）で心（こころ）をつかめ。
一瞬（いっしゅん）で人（ひと）を動（うご）かし、100%好（す）かれる声（こえ）・表情（ひょうじょう）・話（はな）し方（かた）

2021年9月28日　初版第1刷発行

著　者　魚住りえ
発行者　小川 淳
発行所　SBクリエイティブ株式会社
〒106-0032　東京都港区六本木2-4-5
電話：03-5549-1201（営業部）

装　丁　小口翔平＋奈良岡菜摘（tobufune）
本文デザイン　岩永香穂（MOAI）
D T P　荒木香樹
イラスト　川原瑞丸
撮　影　伊藤孝一（SBクリエイティブ）
編集協力　佐口賢作
編集担当　杉本かの子（SBクリエイティブ）
印刷·製本　三松堂株式会社

本書をお読みになったご意見・ご感想を
下記URL、またはQRコードよりお寄せください。

https://isbn2.sbcr.jp/03120/

落丁本、乱丁本は小社営業部にてお取り替えいたします。定価はカバーに記載されております。本書の内容に関するご質問等は、小社学芸書籍編集部まで必ず書面にてご連絡いただきますようお願いいたします。

ISBN978-4-8156-0312-0

巻末付録

魚住式「心をつかむ1秒」の準備編

声　表情　話し方のLESSON

「心をつかむ1秒」の土台となる、声・表情・話し方を磨くトレーニングを紹介します。どんな人でもいつ始めても、魅力的な声・表情・話し方をつくることは可能です。アナウンサー、ボイス・スピーチデザイナーオススメのトレーニングをぜひ体感してみてください。

魚住りえのLESSON動画

魚住りえがトレーニングの一部を特別に実践講義しています。一緒にトレーニングしましょう。

https://movie.sbcr.jp/ukti/

そのほかのトレーニング動画はこちらから

魚住りえチャンネル

スキマ時間を活用！「話し方」の練習法

腹式呼吸トレーニング

その①寝っ転がりバージョン

いい声・表情・話し方のためには腹式呼吸が欠かせません。腹式呼吸なら、艶のあるいい声になり、声量をコントロールできるように。1秒で心をつかむ基礎中の基礎ですから、ぜひ習得してください。慣れていない人はまずは寝て行って、コツをつかみましょう。

1 息を吐きながらお腹を凹ます

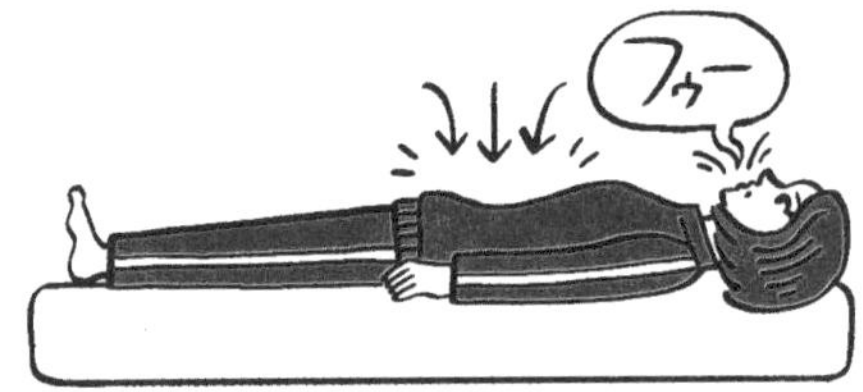

あおむけに寝ます。口から「フゥ～」と息を吐き、お腹を凹ませます。

2 息を吸いながらお腹を膨らませる

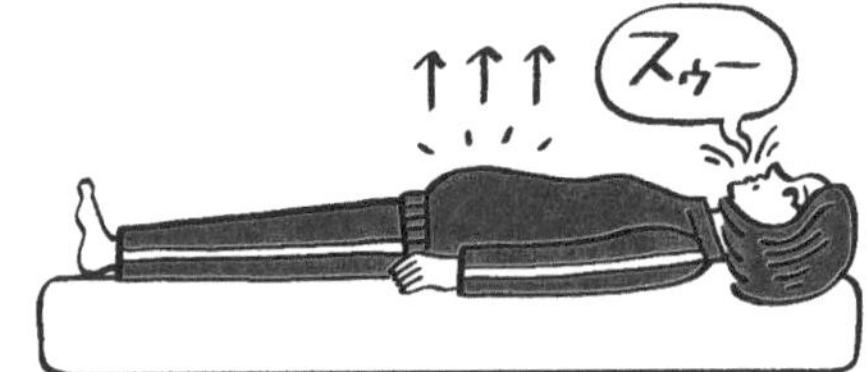

鼻から「スゥ～」と息を吸い、お腹を膨らませます。①と②ですでに腹式呼吸になっています。息を吐くとお腹が凹み、息を吸うとお腹が膨らむのを確認してください。

3 本を置いてお腹の動きを確認する

重さのある本をお腹の上に置きます。腹式呼吸をすると、本がお腹の上で上下しますので、確認しながら呼吸を続けます。

腹式呼吸トレーニング

その②壁立ちバージョン

「その①寝っ転がりバージョン」で、お腹を凹ませたり膨らませたりする感覚がつかめたら、次は立って腹式呼吸を行ってみましょう。壁を利用することで、お腹の動きがわかりやすくなります。

1 リラックスする

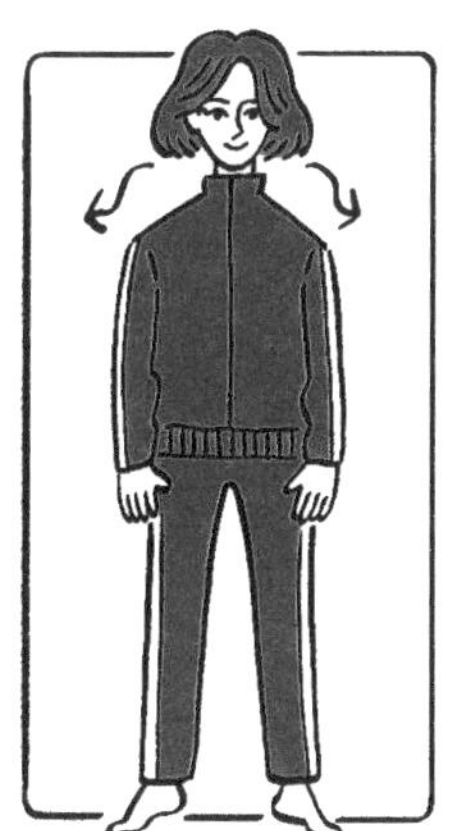

背中を壁につけて肩幅程度に足を開いて立ちます。首と肩の力を抜いて、上半身をリラックスさせましょう。

2 息を吐きながらお腹を凹ませる

片手をお腹に添えて、腹筋に意識を集中させます。口から「フゥ～」と息を吐きながらお腹をゆっくりと凹ませていきます。息を吐き切り、腹筋をできるかぎり縮めます。

3 息を吸いながらお腹を膨らませる

鼻から「スゥ～」と息を一気に吸い込みながら、お腹を意識して膨らませます。難しい場合は、最初はお腹をゆるめる感覚でやってみてください。

表情筋トレーニング 2

滑舌が悪い、はっきりと発音できないとお悩みの方も多いもの。それは筋力がないせいかもしれません。顔の表情筋、口のまわりの筋肉、舌の筋肉を鍛えると、スラスラと言葉が出てきます。簡単ですから、一緒にトレーニングしていきましょう。

ほっぺ膨らまし、ほっぺ吸い

ほっぺを膨らます

頬に思いっきり空気を入れて膨らませます。

ほっぺを吸う

両頬の口のなかのお肉を吸います。歯でかまないようにご注意ください。ここまでを10回行います。

ひょっとこ体操

唇を突き出し

唇をすぼめて前に突き出します。

右へ

唇を突き出したまま右に移動させます。

左へ

唇を突き出したまま左へ移動させます。ここまでを10回行います。

3 舌で歯ぐるり

口を閉じたまま、舌で上下の歯ぐきをぐるりとひとまわり舐めます。逆回りも同様に。それぞれ3周行います。

4 ペコちゃん体操

舌を横に出し、左右に動かします。往復10回行います。

5 ベロ上げ下げ体操

舌を思いっきり出して、上下に動かします。往復10回行います。

「あいうえお」の基本

3

基本となる母音「あいうえお」をクリアに発声するための口の形です。鏡を見ながら「やりすぎかな？」と思うくらい極端に口を動かします。こうすると顔の筋肉が鍛えられ、普段の会話でラクに口を動かすことができるようになります。

あ：上下の歯が見えるくらいに大きく、丸く口を開けます。

い：口の両端を思いきり横に引っ張ります。

う：口を思いきりすぼめたところから、少しゆるめます。

え：「い」の口の形から下唇だけを下げます。

お：「あ」と「う」の中間程度に口を丸く開けます。

4 変顔体操

顔の筋肉を動かすことで滑舌をよくするためのトレーニングです。声を出さなくても行えますから、プレゼンやスピーチの前に行うのもオススメです。

1 いう

口を思いきり横に引っ張った「い」から口をすぼめ「う」に。慣れたら「い、う」「い、う」とリズムよく繰り返してみましょう。

2 えう

「え」の口の形から口をすぼめて「う」に。慣れたら「え、う」「え、う」とリズムよく繰り返してみましょう。

3 おあ

「お」の口の形から歯が見えるくらい大きく口を開けて「あ」に。慣れたら「お、あ」「お、あ」とリズムよく繰り返してみましょう。

4 うお

口をすぼめた「う」の口の形から少し口を開いて「お」の形に。慣れたら「う、お」「う、お」とリズムよく繰り返してみましょう。

共鳴トレーニング 5

私たちが声を出すとき、声帯が震えて空気を振動させるのですが、この空気の振動を口腔や鼻腔、頭蓋骨内で増幅させることを「共鳴」と言います。声の高低は、空気を体のどこに共鳴させるかによって決まります。つまり共鳴の位置によって声を使い分けることで、さまざまなシーンに合う声の高さを探すことができるのです。

1 あなたの「一番聞きとりやすい声」の見つけ方

人差し指と中指をそろえて鼻先に軽く触れ、口を閉じたまま「ン～～～」とさまざまな高さの音でハミングします。鼻先に置いた指が一番振動を感じられる高さの音が、聞きとりやすい高さの声になります。

2 あなたの「一番いい低い声」の見つけ方

人差し指と中指をそろえてのどに添え、①と同様にハミングし共鳴する音を探します。①よりかなり低いところで振動を感じるはずです。少人数での会話、秘密の話をするときに最適の高さの声です。

3 あなたの「一番いい高い声」の見つけ方

てのひらをおでこに当てて、そこが振動するように声を出します。かなり高い声で共鳴するはずです。この高さの声は普段はほとんど使いませんが、スポーツ観戦などの応援で自然と使っている人も多いです。

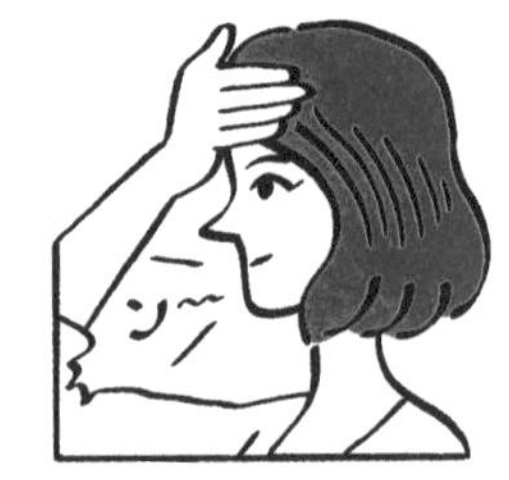

参考文献:『発声と身体のレッスン 増補新版』
（鴻上尚史／白水社）

6 「声のトーン」使い分けトレーニング

普段の自然な声の高さを「ド」として、「レ」「ミ」「ファ」「ソ」「ラ」「シ」と声の高さを上げていきましょう。共鳴トレーニングの 1 で見つけた鼻に共鳴する声が「ソ」の音になります。「ソ」は「鼻に口がある」イメージです。この音を基準に、明るさ、楽しさを表現したいときは、「ラ」や「シ」の音(「おでこに口がある」イメージ)。落ち着きや深刻さを表現したいときは、1オクターブ低い「ラ」や「ソ」の音(「のどぼとけに口がある」イメージ)。というように、シーンによって「声のトーン」を使い分けていきます。

「声のトーン」を使い分けよう

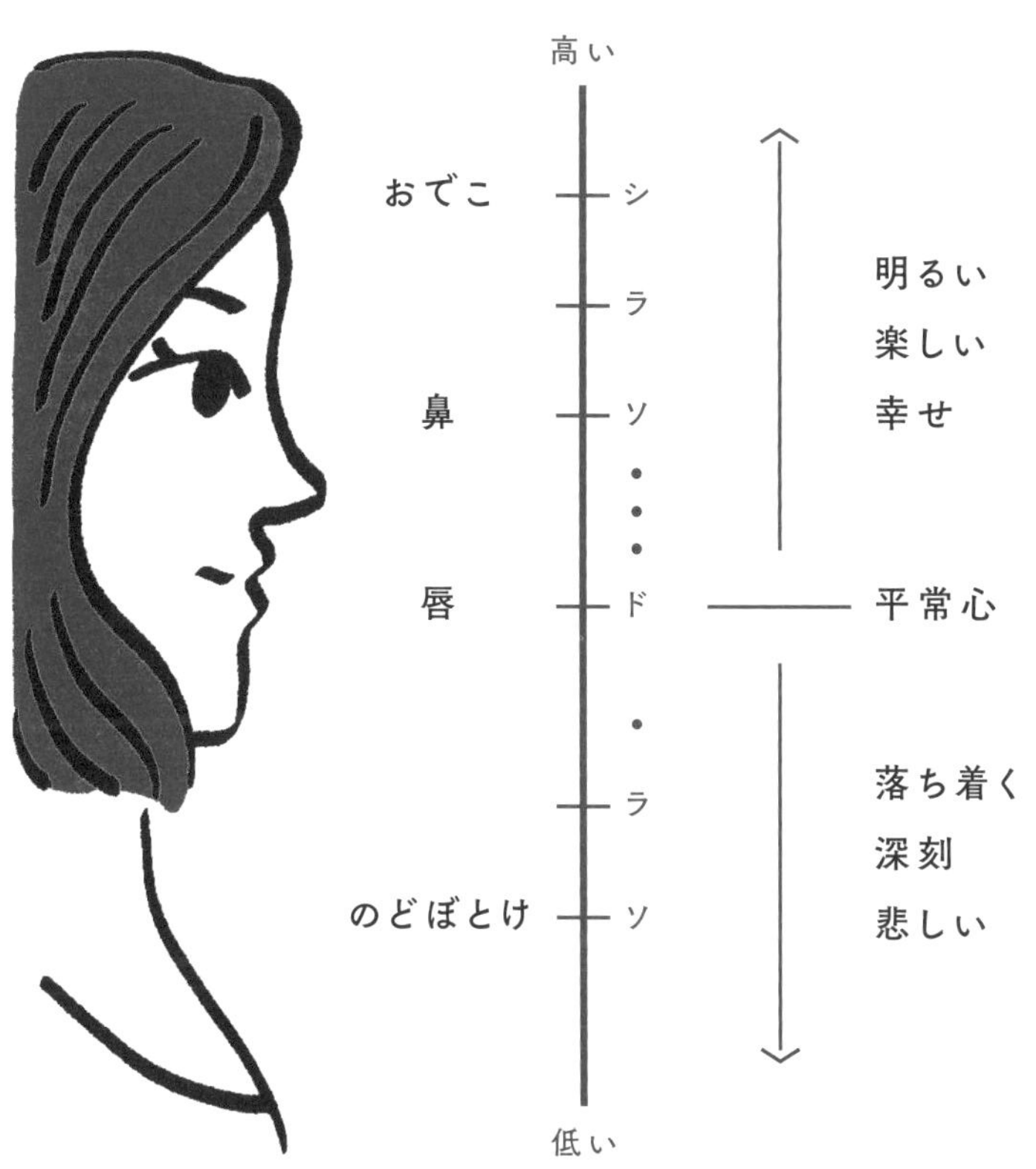

パマタカラ体操　7

大きく口を動かして、口の筋肉をやわらかくする体操です。パとマは唇を動かし、カは喉の奥を使い、タとラは舌の筋肉を動かしますので、唇、舌、喉の筋肉すべてに効果があります。即効性もあるので、人前で話す前の準備体操としてもオススメです。

破裂音の「パ」は、唇をしっかりと閉めた状態から、一気に広げて発音します。パパパと繰り返すことで、唇の動きがよくなります。

唇の筋肉を使うのは「パ」と同じですが、「パ」よりさらに強く唇同士を押しつけ、鼻から抜いて音を出すため、さらに筋肉が鍛えられます。

「タ」の発音をするとき、舌は上顎から下顎に打ちつけるように動きます。舌の筋トレとなって、滑舌がよくなります。

「カ」を発音するとき、のどの奥に力が入ります。これはのどを閉めることで発音しているから。繰り返すことで発声がよくなります。

「ラ」を発音するとき、舌は丸まり、舌先を前歯の裏につける形になります。繰り返すことで舌の動きがよくなり、滑舌がスムーズになります。

仕上げに「パマタカラ、パマタカラ、パマタカラ……」とできるだけ速く繰り返します。

8 声の「ボール投げ」トレーニング

大勢の前なのに聞きとれないほど声が小さかったり低かったり、小声で話すべきところで驚くほど大きな声や高い声を出してしまったり…「声のボリューム調整」が苦手な人も多いもの。そこでここでは、さまざまなシーンで適切な大きさと高さの声を出すためのトレーニングを紹介します。

1 近い距離の人に声を届ける

ボールを相手に渡すイメージで声を相手に届けます。ここでは、大きすぎる声や高すぎる声は、遠くにボールを投げてしまうようなもの。落ち着いた「ド」の声で丁寧に言葉を届けましょう。

2 中くらいの距離の人に声を届ける

ビジネスでの挨拶のシーンなどに多い距離感です。少し高めの「ソ」の音を相手に届けるイメージで声の大きさを調節しましょう。

3 遠い距離の人に声を届ける

大勢の前でのスピーチやプレゼンに最適の声の届け方です。「ラ」や「シ」の音をポーンと大きく相手に届けましょう。

朗読トレーニング 9

1秒で心をつかむために最適なトレーニングが「朗読」です。語彙が増え、言葉がスラスラと出てくるのです。会話で必要な「脳内の言葉の反射神経」が劇的に改善します。ぜひP14〜15の朗読用原稿を使って朗読を体験してみましょう。

声の高さと声量のおさらい

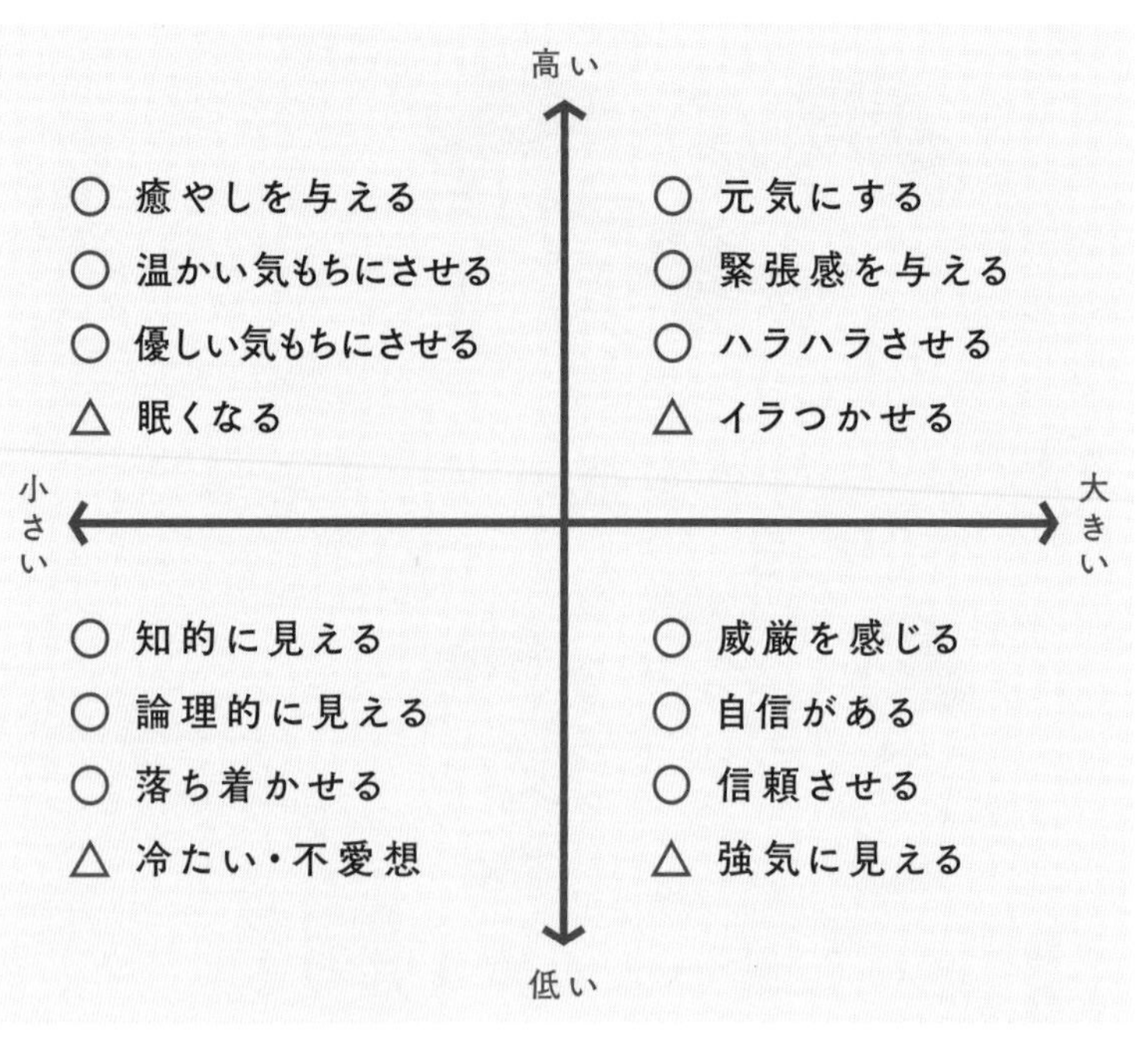

魚住式朗読トレーニング 3 STEP

STEP❶ **黙読** 内容を把握する

STEP❷ **音読** 読み方のプランを立てる

STEP❸ **朗読** 朗読を録音して修正する

STEP 1 黙読

1 「内容」を把握する：何を言いたい文章なのか、筆者の意図をくみとりながら、全体の内容を把握し、言葉1つひとつの意味を考えます

2 「構成」を考えて読む：段落や一文ごとに、「導入」「問題提起」「具体例」「補足」「結論」のいずれであるかを考えます

3 「自分がこの文章で伝えたいこと」を考える

STEP 2 音読

1 読みづらい箇所・切るべき箇所をチェック：
切るべき箇所に　／　を書き入れる

2 強調したい部分をチェック
［囲み線］高く読む：少し高めの声で読みます
［波線］ゆっくり読む：ゆっくり、はっきり、念を押す感じで読みます
［二重線］強く読む：強く発音します
＜　ポーズ（間を置く）：強調したい部分の直前で間をおきます
［囲み線］感情を込める：声色をつけて、その部分だけ気もちをグッと込めます
［矢印］読点があるが、区切らないで読む：読点があってもあえて区切りをつけずに読みます

3 抑揚をつけて読む：2で強調したい部分をピックアップしたら、その記号通り声に出して読みます

4 行替えを行う：スムーズな音読になるよう赤ペンで二重線で消したり文字を足して、行替えをします

STEP 3 朗読

1 STEP2で立てたプランにしたがって読んでいきます。その際、スマートフォンのボイスメモ機能やICレコーダーを使って録音をします

2 録音した音声を聞き返し、修正したほうがいい部分をチェックして、再度朗読をします

朗読用原稿

「『失敗』をビジネスに」

失敗した経験がない、という人はこの世にひとりもいません。
もしいるとすれば、その人は何も行なっていない人です。
失敗や逆境の中には、それに相応しい、あるいは、それ以上の、大き
大きな利益の種が含まれています。
そう、失敗の中には、チャンスの芽が埋まっているんです。
会社を倒産させてしまったベンチャー企業家がいます。
彼は、IT事業を立ち上げ、順調な滑り出しをみせていました。
しかし、金融機関からの十分な融資を得られず、会社は倒産してしまいました。

いました。

残ったのは、億単位の借金でした。

しかし、彼はそれで終わらなかったのです。

事業がなぜ失敗してしまったのかを、本にして出版しました。

日本でベンチャー企業が育たない原因は何なのかを、この本は浮き彫りにしました。

この本は飛ぶように売れました。

彼は、マスコミから脚光を浴び、講演会やビジネススクールの非常勤講師として

講師として招かれるようになり、現在はある会社の取締役にも就任しているのです。

（ナポレオン・ヒル『思考は現実化する』より）

早口言葉で
ウォーミングアップしよう

お腹にグッと力を入れ、自分のお腹を「空気を押し出して声を出すアコーディオンの蛇腹」のようにイメージして読みましょう。声量はなるべく大きいままキープ。言葉に集中し、口をしっかりと開け、ハキハキと読みます。スピードは一定を保ちましょう。

早口言葉❶

生麦　生米　生卵

早口言葉❷

スモモも桃も桃のうち

早口言葉❸

お綾や親にお謝り　お綾や八百屋にお謝り

早口言葉❹

つみ草つみ豆つみ山椒

早口言葉❺

盆まめ盆ごめ盆ごぼう

早口言葉❻

この寿司は少し酢が効きすぎた

早口言葉❼

菊栗菊栗三菊栗　合わせて菊栗六菊栗

早口言葉❽

ブタがブタをぶったら
ぶたれたブタがぶったブタをぶった
ぶったブタとぶたれたブタがぶったおれた